废名全集

第十卷

书信 年谱

陈建军／编

武汉出版社

（鄂）新登字 08 号
图书在版编目（CIP）数据

废名全集. 第十卷, 书信、年谱 / 陈建军编. — 武汉 : 武汉出版社, 2023.10
　ISBN 978-7-5582-6071-1

　Ⅰ. ①废… Ⅱ. ①陈… Ⅲ. ①废名（1901-1967）—全集　②废名—1907-1967—年谱 Ⅳ. ①I217.2②K825.6

中国国家版本馆CIP数据核字（2023）第096935号

编　　者：	陈建军
责任编辑：	杨建文
封面设计：	刘福珊
督　　印：	方　雷　代　涌
出　　版：	武汉出版社
社　　址：	武汉市江岸区兴业路136号　　邮　编：430014
电　　话：	(027)85606403　　85600625
	http://www.whcbs.com　　E-mail: whcbszbs@163.com
印　　刷：	湖北新华印务有限公司　　　经　销：新华书店
开　　本：	880 mm×1230 mm　　1/32
印　　张：	8.25　　　字　数：200千字
版　　次：	2023年10月第1版　　2023年10月第1次印刷
定　　价：	980.00元（全套十卷）

版权所有·翻印必究
如有质量问题，由本社负责调换。

废名

废名全家合影

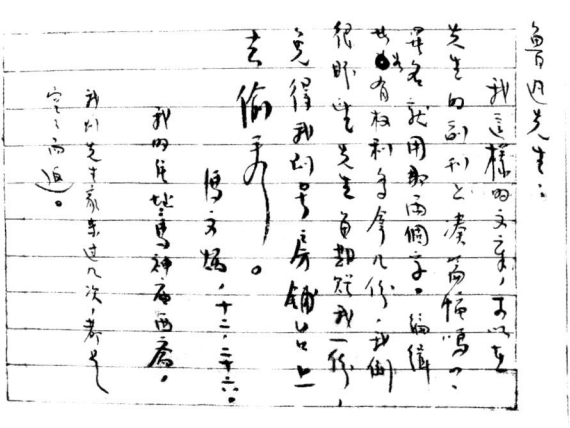

废名致鲁迅信手迹

废名致周作人信手迹

故顯考馮公文炳大人之墓
妣母岳老孺人

先父馮文炳字筆名廢名生于一八〇一年歿于一九六七年
先母岳瑞仁生于一九〇三年歿于一九七八年
先父系中國著名新文學家并歷任北京大學吉林大學教授

孝男 黑妮
孫 馮作
每方
女 止慈 外孫女 史婦

公元一九九四年清明敬立

廢名夫婦之墓

目　录

第十卷　书信　年谱

书信 …………………………………………………… （1）
　致周作人（二十六通）………………………… （3）
　致胡适（七通）………………………………… （21）
　致徐炳昶（一通）……………………………… （33）
　致鲁迅（一通）………………………………… （34）
　致陈源（一通）………………………………… （35）
　致杨晦（七通）………………………………… （41）
　致程侃声（二通）……………………………… （48）
　致廖翰庠（二通）……………………………… （53）
　致钱玄同（一通）……………………………… （55）
　致卞之琳（二通）……………………………… （56）
　致林语堂（一通）……………………………… （59）
　致朱英诞（十二通）…………………………… （61）
　致陶亢德（一通）……………………………… （68）
　致廖秩道（二通）……………………………… （74）
　致张中行（三通）……………………………… （76）

致李奕(一通) ……………………………………(78)
致湖北省黄梅县民政局(一通) …………………………(79)
废名年谱简编 ………… 沈瑞欣 孟庆奇 编著　陈建军 审订(81)

书 信

本卷收书信七十一通,其中 1949 年前六十七通,1949 年后四通。

致周作人(二十六通)①

一②

作人先生:——

我爱文学,爱先生,也爱鲁迅先生。前天遇着一个从北京回来的朋友,他说鲁迅先生是先生的兄弟。我的理性告诉我,这不必另加欢喜,因为文坛上贡献的总量,不因是兄弟加多;先生们相爱的程度,不因不是兄弟减少。然而我的感情,并不这样巧于推论,朋友的话没说完,我的欢喜的叫声已经出来了。

去年因几篇拙劣的稿子,博得先生那多的教训,至今想起来,还觉不好意思得。——这,在先生看来,也许是不正当的态度,虚荣心的发现。因为先生的广大的爱河里,什么肮脏东西都容得着,何况是虽然未成熟,却也含有一样的生命的果子。

现在又寄上几篇,都是得了教训以后试作的,或者仍然犯了

---

① 第10通载北京《京报副刊》1926年4月1日第456号,题为"给岂明先生的信",署名冯文炳。第11通作为《无题之二》(即长篇小说《桥》之一章)"附记",载北京《语丝》周刊1926年4月26日第76期,署名文炳。其他24通系手稿,第24通见2017年6月4日"猗欤新命——纪念新文化运动100周年名人墨迹文献专场"拍卖图录,第1—9通、第12—23通、第25—26通原件现藏周作人后人处。

② 此信作于1922年5月下旬。

以前的毛病也未可知。但是自己是不能知道的了。希望先生枉费一点工夫,给个指正!

"……我们上帝怜悯的心肠,叫清晨的日光从高天临到我们,要照亮坐在黑暗中死荫里的人,把我们的脚引到平安的路上……"路加福音第一章

"……你回去罢,照你的信心,给你成全了……"马太福音第八章

冯文炳谨上

二①

启明先生:

许久未通只字,但至少每星期要怀念十遍,因为先生的婉讽而严肃的文体,包容而坚定胸怀,每每使我的心由停滞转到活泼。寄来小说两篇,切盼先生指点他们的缺欠。

我有几个朋友在武昌创办一个美术学校,今年六月间,整整一周年。他们昨天来信,拟出一本纪念册,题名"一周年的武美",嘱我转请先生做篇序文或题几个字。我想,没有看见原物而来做序,岂不近于应酬?然而这几个朋友,很诚恳,颇有直立不挠的精神,在我的故乡,殊不多见;想拿着敬爱者的手迹,以夸诩于大众,似乎也不是不合理的心理。倘先生借这机会,做点艺术重要的介绍,俾得"化行南国",那我不但为我的朋友道谢了。

学生冯文炳。五,十三。

---

① 此信作于1924年。

三①

启明先生：

我现在借得了一笔款子，足够印行《黄昏》之用。恭请先生替我做序。我的心情，是得先生而养活；我的技术，大概也逃不了先生的影响，因为先生的文章（无论译或著）我都看得熟。所以由先生引我同世人见面，觉得是很有意义的事。而且倘若有可以嘉奖的地方，也只有出自先生之口才能够使我高兴。

我打算于先生做就了的那一日亲自来取，同时也把《黄昏》带回。

学生文炳。十一，四。

新作有两篇，其一即是《鹧鸪》，必要时也拟添入。

四②

先生：

我突然又变冷淡了，不想把东西印出来。年来闲静生活，这几天搅乱得利害，很不值。还是候新潮社的资本与人力罢，不然，就是我已经不在这世界，而它还在我的屉子里，也不要紧。

学生文炳。十七日夜。

我在家里也常是这样一天十八变，我的父亲骂我而又怕我气闷。我现在

---

① 此信作于1924年。
② 此信作于1924年。

也有点畏先生,虽然明知道先生必定还嘉奖我。

五[1]

先生:

　　印刷事已否进行,为念。又我个人意见甚盼《陀螺》也出版,——近来实在想文章读(用中国字写的),而区区小子倘若跟先生一路,得意好多也。

学生文炳。十二,六。

　　校对需不需自己,也盼示,以便与经手人接头。

六[2]

先生:

　　今天上午写一封信先生,谅收到了,那广告请不登。说来真可怜。原来预备两人办而那朋友没有我这样坚决,于是我一人办。我打算把那印书钱拿来牺牲,所以卖不了一份,也不打紧。然而把稿子送交印刷课之后,两三次往返交涉,把心都纷乱了,找朋友帮忙,个个都是摆头;这还不说,最难的,将来还要自己买几张颜色纸写一个大广告到各院去贴!这叫我怎么行?不得已又决然的罢休。

　　交去的稿子,有两篇小说,已经排就,不过没有印,打算就改为印书,仍为新潮社文艺丛书之一,由自己同印刷课交涉,不过

---

[1] 此信作于1924年。
[2] 此信作于1924年12月中旬。

登广告同发行,请新潮社同人。这是我来问先生的又一原因。

先生或许我一见,或批几个字在后面。

学生文炳。

七①

先生：

文章交了收发课,先生当接到了。

近来有一二友人说,我的文章很容易知道是我的,意思是,方面不广。我承认,但并不想改,因为别方面的东西我也能够写,但写的时候自己就没有兴趣,独有这一类兴趣非常大。波特来尔题作"窗户"的那首诗,厨川百村拿来作赏鉴的解释,我却以为是我创作时的最好的说明了。不过在中国的读者看来,怕难得有我自己所得的快乐,因此有一个朋友加我一个称号："寡妇养孤儿。"一个母亲生下来的,当然容易认识,那么,方面不广,似乎也就没有法了。先生以为如何？

学生文炳。十七日。

上面那一段话,似乎可以用来做文章后面的"赘语"。

八②

先生：

---

① 此信作于1925年1月。
② 此信作于1925年。

看了《若子的病》，才知道中间经过了这么大的一个风暴，而又喜得我那天去，已经是快要天晴。我愿我是吉人，带来若子归家的好消息。

今天会着小蜂兄，似乎他当初拿我的小说去印，并不是受了先生的意旨，因为他问我将来放在那一个丛书里。请先生再告诉他一声。我近来已经望见了我的命运，对于社会，不敢存什么奢望，不过能够利用一般盲目崇拜的心理，把他放在好招牌之下，因而多消几本赚几个钱，觉得也来利用，——万一真赚不到，我想我也能更活泼而且更骄傲的度日罢。

学生 文炳，五，四。

九[①]

启明先生：

来信收到了，欢喜非常。我这无名小子，将因了先生而博得人之一顾。

小周报实在是最重要的事，试看现在的中国，有那几个是清楚头脑？最可怪者，大家都在那里做押韵诗！先生们再不出来，真不得了。我也想零细送点东西跟在先生后面走。

学生 文炳，七日。

[①] 此信作于1925年11月。

十①

岂明先生：

今天本刊上先生关于陈源《闲话》的一篇文章，是在我意料之中的，——他那样杀人不见血，先生那得不气愤呢？我当时见了，也足有一个钟头说不出话，心酸而已。

但我现在的感想，是觉得先生以后还是沉默的好。我并不是说这样的题目太小，生在这样的中国，遇着这样的对手，自然会做出了这样的题目，如以为可惜，那是我们的命运，没有法。我的理由是，他们现在差不多是司马昭之心，路人皆知，如果还有受欺骗的，那正可以引用从前唐俟先生对于《礼拜六》的话。

至于"通缉"，也可怕，怕羞，——这与李彦青之牵累吴稚晖先生，相去几何？

就是我这封信，也愿先生"幽默"下去，——不答是也。

冯文炳，三月三十日。

十一②

岂明先生：

这一张稿纸只占去了两行，于是乎添一点蛇足。

我的名字，算是我的父母对于我的遗产，而且善与人同，我

---

① 此信作于1926年。
② 此信作于1926年。

的伙计们当中,已经被我发觉的,有四位是那两个字,大概都是"缺火"罢,至于"文",不消说是望其能文。但我一点也不稀罕,——几乎是一桩耻辱,出在口里怪不起劲。因此每有所制作,总要替她起一个好听的名字。"雨天的书",你说你喜欢,我也非常喜欢,你真是"名"家——现在这一套玩意儿,老是"无题"下去,仿佛欠了一笔责似的,今天把这一章誊写起来,不禁喜得大叫,得之矣!——"雁字记",不很好听吗?你以为何如?

惭愧得很,这《雁字记》不知要到二〇二几年才能出世,(不至于在陶梦和教授那部大著之后罢)颇费推敲也。

今日何日?"国耻"之日也,(你以为我忘记了日子吗?不,我可以引一句话来压倒你,"士大夫之无耻是谓国耻"是也。)而我犹这样谈闲天,毋乃不知耻?

四,八,又要用讨厌的名字——文炳。

十二①

先生:

柳无忌君的那篇文章,照他自己的分配,还应登两期,但最后一部分是总括的说几句,我想可以省掉,就在135期替他把第三部分登完了帐,先生以为何如?又先生的《答芸深先生论曼殊》,可否把"论曼殊"三字省去,直写为《答芸深先生》?因为倘完全写,则目录上有两个"曼殊",不看内容者将真以为《语丝》替曼殊出"专号"也。(我又想把柳君的文章移在136期,但因篇幅

---

① 此信作于1927年。

的关系,不能够。)自136期起,稿件很感缺乏。我颇有些内容复杂一点的东西要写,但又恐一礼拜之内写不起,以致耽误出版,所以不得不图急就一点,拣便宜的写,颇感不足。倘若多有一两人执笔,能够挪出两星期的时间,我则大胆的为所欲为也。

炳,五,三一。

丘玉麟君的小说,已预备135期登。

十三[①]

启明先生:

今早来,适先生出门。昨听说北大行将结束,则此地我实不能再留。本想还留一年的,以学校住卒业为借口,只要邮汇通,还可以向家里设法弄钱,就在这一年内,尽力写完《无题》。现在去往那里去呢?湖北,我的家乡,我是不肯去的,在那里虽容易找得饭吃,而是置自己于死地,不能工作,——这个我能预言。思之再三,广州中大,那般绅士似乎没有打算去,我们或者可以相容,而且我别无"野心",只要多有余闲,随便什么职事都行,请先生斟酌情形能否因写信江绍原等介绍一下而可成?如此路不通,前所云山西崞县托先生找教员,现已找得否?我看了一看地图,这个地方偏僻得可以,倘若我就去居下几年,人不知,鬼不晓,将来回来带几部稿子再跑到苦雨斋,迎面一声笑,倒真算得个"不亦快哉"。不过中学担课怕忙得很。至于寂寞,我实在有本领不怕。此孰吉孰凶,愿因先生决之。

---

① 此信作于1927年。

炳,八,一。

十四①

启明先生:

前日之来苦雨斋,是别有话说,座上有人,未说出。孔德学校,下学期,可由先生介绍给我月二三十元一教职否?(多了不要,少了也不成,最要紧的是一个"现"字)

我的性格不配像高尔该那样做流氓,窃有意于老和尚"无罪而尝谪居之月"。但我的谪居的心情似乎又是另外的一个。

炳,七,五。

十五②

苦雨
翁玺

相片收到了。近日精力又似很健,中间疲乏了一些日子。沈钟四君子我现知道得很深,他们对于我也十分相爱。君培前几天写信我,说他为一个"东西"所苦,我回信很是安慰他,说我也始终是为一个一个的东西苦着,有这样的话——

> 真实的生活不是一个慷慨的施舍,而是一笔一笔的还债,还债的时候总是有点吝,舍不得,但这样的结

---

① 此信作于1928年。
② 此信作于1929年。

果是自由了。施舍者,始终与自己不相干,他不是"贫穷"是什么?

又有云:

蜻蜓点水似的过生活的人,生活将过去了,他何所苦乐?步步踏实的人才真有所造化,到得他的法眼,蜻蜓点水那也就真美了。

又有云:

"人生虽短而艺术则长",然而,短的人生,也应该有五十岁月,而我同你刚刚到了一半,这一半里头又做了一半的小孩,紧要的日子在今日以后耳。若今日以前向我们大要成熟,岂不滑稽哉,非愚则妄也。

炜谟是我辈中很懂得道理的一位,与我很谈得来,他的遭遇不大好,还能抖擞精神,大有所作为,今天我忽然写这几句话给他——

孟夫子曰:天之将降大任于斯人也,必先苦其心志,劳其筋骨,饿其体肤,空乏其身,行拂乱其所为,所以动心忍性,增益其所不能也。

话或者记错了一点也未可知,但我觉得有意义的是动心忍性四个字。

从你我看来，这分明是一个事实，谨以恭喜。然而，这两个字殊写得滑稽，颇苦，我们岂侥幸这个哉？然而，士不可以不弘毅，任重而道远。近来很懂得一个"忠"字。

圣人的道理都是对的。但生在我们今日这个社会里头又另外要有一副流氓本领才最占便宜。何况圣人本已懂得这个，孔子曰：吾少也贱，故多能鄙事。

炜谟他最可怜的地方就在于缺少这个本领，然而他也就最可爱了。观此，翁亦可以知道小子的园墙近来是建筑得如何巩固了。然而，还有点不敢包原，怕"魔鬼"的不听吩咐。我所谓的魔鬼，只是吴稚褌〔晖〕老头子开口就是的那两个字。若我也活活的被他逼死了，那真是太滑稽了，悲哀亦无加于此也。小子有何力量哉？所以我不敢学圣人的话：天之未丧斯文也，匡人其如予何！此刻吃了午饭，本是打算做文章，却忍不住要写这封信与翁。

废，十，十。

十六[1]

苦雨
翁玺

我向来有一种毛病，有时忽然间看一切的文字都没有意思，

---

[1] 此信作于1930年。

几乎是白纸黑字,要好几天又能复原,近日又如此,只是不如从前烦闷,悠游之本领似高,惟《骆驼草》的稿子无有,不免着急,苦了。昨日打电话耀辰先生,他也说难,奈何?我平常作文,总要字字自己喜欢,字字有内容,敷衍则天地皆非,简直是一个致命伤。好在自己又能忍耐。近日又特别想像得各种好文章在那里,对于生活又特别能"游戏"。几乎望到我佛如来那里去了。

废 十月二十二日

十七①

苦雨
翁玺

今早发一信,把日子都记错了。青岛这地方很好,想在这里住它一个春天,刻写一信给平伯,请他或由他另约几位与杨振声公有交情者共同写一信与杨替我谋三四点钟功课,不知如何,请翁就近向平伯打听一下。我写给平伯的信是由清华大学转,当能收到。

废 一月十二日夜。

来信寄青岛铁路中学修古藩转。

我本想到上海去,但又怕同李老板买卖做不成,如果这里实在留我不住,那就自然而然的扯起顺风篷走了。

---

① 此信作于1931年。

十八[①]

苦雨翁座右：

　　近日窗下作《芭蕉梦》，盖系题目之总名，篇幅谅都短，尚不知成功如何，惟已觉叶大如船，有潇潇雨意，是暑假之佳兆，或可不常出屋耳。此梦大概是什刹海之所得

废，"五卅"。

十九[②]

苦雨翁座右：

　　开明挂号信送到。旋又由邮差递到　手札矣，欢喜无量，今日拟写了送去。昨日小雪，懒得上东安市场，乃提壶到马神庙小铺打二两白干喝之。今日放晴，旭日上窗，尚眠未起也。故雪虽不能一尺，亦有红日三丈之妙也。开明板税系由该北平分局划付，这封挂号信寄来的即是，虽稍迟数日，却不贴汇水，故亦可喜也。板税摺云另挂号寄来，所以日内再有挂号来时，无须遣人送来，等衲随便那一天自来拿可也。

废，二十二日。

---

① 此信作于1932年。
② 此信作于1933年2月。

二十[①]

知堂师尊鉴

　　谕敬悉。淮特自然史在此,下次来庵时带来。昨日曾往北大医院检查,据诊断系肠胃出血,惟尚不能断定出自何部分,医意最好能住院数日检查清楚,当时未能听从,因小孩在家不能自己照料也。医亦不十分坚持,现在大约已不出血了,稍加休息或可渐复原。在面色发白与发肿前,大便深黑色,有两三日之久,后乃心跳气喘,现在这些情形都好了。匆匆敬叩

道安

　　　　　　　　　　　　学生 文炳　十二月廿八日

二十一[②]

苦雨翁座右:

　　袁公也愿得　沈二先生之字,彼云爱其"潇洒",可惜那一张淡墨的已归衲所有,袁公只能得那一张较规矩的耳。

　　　　　　　　　　　　　　　　废　二十一日晚

---

① 此信作于1933年。
② 此信作于1935年6月。

二十二①

苦雨翁座右：

　　刚才发一信忘了一句话，袁公字"嘉华"，而"家骅"乃其名，彼初无此分别，现在则确有此分别也。

　　　　　　　　　　废　六月二十一日晚

二十三②

岂老尊前：

　　顷定于今日下午由平汉路南归，约二月二十五日左右由家回北平来。昨日得乡间来信，汉浔间江轮仍可行，惟夜间不开行，白天始行耳。敬叩
道安

　　　　　　　　　　废　一月二十二日晨

二十四③

知堂师座右：

　　昨日信想已到。平伯亦有信去相告。家中系定□□

---

　　①　此信作于 1935 年。
　　②　此信作于 1937 年。
　　③　此信作于 1937 年。

今晨《风雨谈》得读朱公一文,剪呈

先生一览。该公大约开始受军训,太阳晒不了□□借大树乘阴,亦即是拖人下水,此亦幽默也。昨□与城北公夜谈,无非是一些夸大的话,结论有□□拔一毛而可以利天下,则一毛亦不忧愁,且有幸□□私心,此亦一幽默乎?日前写一首诗寄卞之琳,又前星期日来茶厂时出护国寺西口成一诗,□□先生一笑。《街头》一作不知写得像摩登诗人之诗否?丰一看之,看我把当时的情景写出来了否,殊无切切。

学生 文炳 五月十一日

二十五①

知堂师:

九日信今晨奉到。五日信则迄未到,不知何也。查莎氏剧,Richard Ⅲ战败,死在 Bosworth Field,但该剧中无 Wolsey 这个脚色,Richard Ⅲ 死时亦无人叹惜他的生平不义之处,只在 Richmond(后来的 Henry Ⅶ)誓师时数出他的不义。又查百科全书,有 Wolsey 其人,注明是 Cardinal and statesman,1475—1530,然 Richard Ⅲ 是 1452—1485,是后者死时前者仅十岁,不能由他叹惜也。

学生 文炳 四月十日

又,据莎氏戏序言,有拉丁剧本 *Richardus Tertius*,又有为 Queen's players 所排的剧本 *The True Tragedies of Richard Ⅲ*。

---

① 此信作于1951年。

莎氏戏 Richard Ⅱ 与 Ⅲ 俱有，昨记其一而忘其二也。①

二十六②

知堂师座右：

　　in petto 是"在计划中"的意思，兹从韦氏大字典中抄得它的注释与举例如下——

　　in petto, in one's own breast or private thought; in contemplation.

　　I have a good subject for a work of fiction in petto...

学生 文炳　八日下午六时

---

① 此句书于信稿上边空白处。
② 此信作于 1951 年。

致胡适(七通)①

一②

适之先生:——

先生不认识我是怎样一个小孩子,我可认识先生——认识先生的面貌同精神。并不是有谁指点我认识的,是我自己从黑暗中摸索来的。先摸索了先生的精神,再饥渴似的摸索了一张相片,直到一个月以前在三院试场上才根据那张相片在脑里所刻的印像肯定了那一位就是先生!

我是新考进北大预科的一个学生——预备以全副精力去从事文学的学生。当先生的《尝试集》出世之时,便是我暗地里跟着先生尝试之时。当先生的《努力》出世之时,恰巧便是我在故乡努力失败之时。——这失败便使我离开恶势力来北京竟平昔专门研究的志愿。

多时便想直接的同先生的精神相接触,又因为不忍以这种幼稚东西耽误了先生的时间,所以马上起了念头,马上也就打断

---

① 手稿,原件现藏中国社会科学院中国历史研究院图书档案馆胡适档案内。
② 此信作于1922年,随信所附13首诗,已收入诗歌卷。

了。到了前几天,在南池子那块看见先生坐在车上拿一本中国书籍翻来翻去,我的心好动呵!偏偏昨天又因为《努力》得了一首诗的材料!我再也忍不住了!大胆写几首诗寄上来了!请先生当作是我奉了"请大家都来尝试"的命令的报告看罢。

学生 冯文炳　九,十一,夜。

倘赐回信,请寄到北大第一寄宿舍天字十号。

二①

适之先生:

我对于环境,向来不肯妥协;无意义的生活,决不肯过,要过先生所谓的"新生活"。从前在武昌住师范学校,以及后来在小学里捏粉条,都因此被人驱逐。此回冒种种困难,跑到北大,以为找着了有意义生活的机会了!谁知一腔热望,竟碰着满瓢冷水!每天从宿舍到三院,要费半点钟;讲堂上候教员,费十分二十分以至三十分不等;同样的材料,自己看只费五分钟,教员在黑板上一横一直的写,一字一句的讲,要整整花费一点:消耗光阴,增加苦恼:便是我这几个礼拜内所得的成绩。

我晓得这种种不满人意的情形,北大本身不能完全负咎。也晓得北大的指导者,不愿有这种种不满人意的情形。我只想在我最敬爱的创造"新生活"的先生之前叫喊几声,并且同怀疑一切束缚人们的礼教一样,为什么要用"点名政策"?答不出个什么来,我也只好不睬他。

---

① 此信作于1922年,随信所附"小诗四首",已收入诗歌卷。

　　　　　学生冯文炳。十一月二日。

三①

适之先生：

　　今天瞥到《努力月刊》出版的预告,真不知是怎样的欢喜;先生的健康不消说复元了,沉寂得要死的出版界,又将听见一声劈雷。

　　赶忙从故纸堆中腾〔誊〕写了这一篇小说,表示我暗地里也在鼓劲罢。

　　　　　　　　　　　　　　学生冯文炳。七日。

四②

适之先生：

　　今夜睡前偶成一首诗,这种诗想是先生所喜欢,大概还是尝试集派,寄呈一览。但先生看了有点中意时,也请不要把他发表。敬请
道安

　　　　　　　　　　废名上,十五日夜十一时

　先生说为石民君寄点款去,不知已寄出否,此人大有在上海滩上作枯鱼之呼喊。

---

① 此信作于1924年1月。
② 此信作于1932年6月。

无 题

我在人家的门前看见一个小孩，
伊的母亲是我所敬重的人，
在这里我不敢说一个爱字，——
事到如今
可笑我还有一颗要哭的心。
我伸手向这小孩表示我的欢欣，
小人儿也认得我的慈祥，
忘却我们的陌生，
这时我不是站在爱情面前，
所以我不怕见伊的母亲。

五[①]

适之先生：

今年我本来立了一个志，要写一个一百回的小说，名曰《芭蕉梦》，后来看见《桥》已出版，不愿意有一个半部的东西，于是又决定把《桥》续写，《芭蕉梦》暂且不表了，当时却写好了一个小引，或者算得先生所说的小玩意儿，就送给先生拿去补白罢。

废名敬上　十五日

[①] 此信作于1932年7月。

六①

适之先生：

惠书敬悉。捧读之余，觉得有不能已于言者。我平常爱谈话，惟独要把自己的意见写在纸上最不能动兴会，今天我觉得我应该向先生写一点我自己的意见，因为这里头动了我一点感情，正好比少年男女写情书一样，所以也就很有兴致了。先生是文学革命的元勋，那时我还是一个小孩子，在一个中学里念书，受了影响，第一回做的白话文就是一首白话诗，当时《尝试集》是读得最熟的了，记得后来到北京时曾寄了几首诗给先生看。慢慢的我做小说，开张第一回就刊登于《努力周报》，给了我一个很大的鼓励，从此继续着做下去，始终不懈，无论后来有怎样的进步，想起那时试作时的不寂寞，真真是一个最大的欢喜。因为有这样的因缘，我对于先生不但抱着我们今日从事文学的人对于一个文学革命先驱应该有的一个敬意，实在又有一种个人的感情。以前没有机会，现在有了机会，如果我心里有一个确实的意见，我觉得我应该忠实的陈之于先生，那才实在是敬重先生之意，不管先生以为他对不对。关于新诗，我因试验的结果，得到一个结论，"我们今日的新诗是中国诗的一种"。这就是说，白话诗（还是说新诗的好）不应该说是旧诗词的一种进步，而是一种变化，是中国诗的一种体裁，正如诗与词也各为中国诗的一种体裁是一样。我细心揣摩中国旧诗词，觉得他们有一个自然的变迁，古

---

① 此信约作于1934年。

今人不相及,诗不能表现词的意境,词也不是诗,而同为诗,同为词,也因时代的先后而不同,他们都找得了他们的形式表达出了他们的意思,大凡一种形式就是一种意思,一个意思不能有两样的表现法,就好比翻译之不能同原作是一个东西是一样,普通所说意思相同那实在是说"意义"罢了。我们今日的新诗,并不能包罗万象,旧诗词所能表现的意境,没有他的地位,而他确可以有他的特别领域,他可以表现旧诗词所不能为力的东西,今日做新诗的人,一方面没有这个体裁上的必然性的意识,一方面又缺乏新诗的生命,以为用白话做的诗就是新诗,结果是多此一举,他们以为是打倒旧诗,其实自己反因而站不住脚了。旧诗之不是新诗,不因其用的不是白话,就是有许多几乎完全是白话句子的词,我也以为不能引为我们今日新诗的先例;新诗之不是旧诗,不因其用的是白话,而文言到底也还是汉语,是"文学的国语"的一个成分。天下事真是要试验,单理论每容易违背事实,好比文字这件东西本应该由象形而进化到拼音,然而中国的方块文字一直沿到现在,因此而形成许多事实,现在主张改成拼音的人其实是很简单的一个理论罢了。我自己所做的一百多首诗,自以为合乎这个新诗的资格,我用了我的形式表达出了我的意思,他是站在旧诗的范围以外,能够孑然独立了。若说他不好懂,那我觉得这本是人类一件没法子的事情,艺术在原则上是可通于人,而事实并不一定是人尽可解,恐怕同恋爱差不多,我所见的女人我未必都与之生爱情了,所以以英国的莎翁未能见赏于俄国的托老,简直的就不知所云哩。我想什么都是一样,并不一定人人可解,而所解亦有见仁见智之不同,这里我不禁记起"半部鲁论"来,这一本四子书就是替他做了注解的朱熹我也以为未见得能了解了他,天下事永远有一个新的发现,好比"克己复礼为仁"这六个字,我觉得不是宋儒所能理解,有一天我忽然想,"克己"何以说到"仁"字,后来我一想,这才真见孔丘的伟大,仁者人也,一切的事情都有一个"人"字,能够克己才能想到别人,所以这里依然是"忠""恕"之道。又好比"鸟兽不可与同群也,吾非斯人之徒与而谁与",我也以为是最有意义的话,孔丘并不像孟轲那样爱骂人,他所说的都是从经验当中体会出来的一个道理,我们生而为人,一切都与这一个"人"字有关,"落花仍在"因而想到"人面何处",对于地球以外的事情没有地球上的事情关怀,不然那就是好奇,然而好奇正因为这里无奇也,与木石居,与鹿豕游,我们都感到寂寞,所以孔丘那一句叹息之辞,直可以包括一切事业之所由来,我们都是不期然而然也,就是"避人避世"之徒,也正是无可奈何鸟兽不可与同群也。又如"诗三百,一言以蔽之曰,思无邪,"也正是说凡事都不是材料上的问题,只看你的作意如何,与圣保罗的话"凡物没有不洁净的,你看他不洁净就不洁净了"是一样的可佩服,然而我觉得向来的人不大能了解。这一趟野马可跑得太远,我只是觉得了解不了解原是没有一定的事。张惠言的《词选》,极佩服温词,说他是深美闳约,那他应该是了解温词的了,然而我看他把温飞卿的《菩萨蛮》解释得一塌糊涂,简直的是说梦话,在这里我认为我是一个解人,深得吾友俞平伯兄的同意,好比"水精帘里颇黎枕,暖香惹梦鸳鸯锦,江上柳如烟,雁飞残月天"几句,许多人都以"江上柳如烟,雁飞残月天"十个字为"惹梦"之梦境,即平伯最初亦以为如此,我心里颇不安,觉得做那样一个明明白白的梦反而没有什么意思,细看温词都不是这种写法,我以为温飞卿最不可及的就是他的境界高,他写的是闺中,而天下的山水仿佛都在他的笔下映照着,他想像一个美人在那么的美地方住着,暖香惹梦,真是缠绵极了,而其时外面的天气盖是江上柳如烟雁飞残月天的时候也,所以作者一方面想像了那个人物,而一方面又把笔一纵,天地四方无不在意中,因此这个人物格外令人想像,要归于诗人的思想非局促者可比,我看温词全是这一套笔墨,了解诗实在同无线电一样,并不是处处可以接受得着,要一种相同的感应。古人做文章有许到①意到而笔尚未到者,因其情思如涌,想像丰富,此类作品更不易了解,但也是莫可如何的事实。我平常最喜欢莎士比亚的戏剧,觉得他的笔来得非常之快,非想像到他的不由自主的来意不可,然而英国人仿佛谁也懂得他,我却以为不可解。我记得曹植《洛神赋》有两句,"凌波微步,罗袜生尘",这一个罗袜生尘的"尘"字我很有点不解,有一回问平伯,平伯他懂得了,他说这一个尘字并不是有一个另外的意义,是诗人的想像,想到神女在水上微步,就好像想到我们在路上走路飞起尘土来,我听平伯这一讲,顿时异想天开,仿佛面着茫茫湖上而"望尘莫及"了。我以为这也是意到而笔未到的一种例子,实在的,一切的艺术本来是借一种媒介而引起读者与作者间的共鸣罢了。陶渊明有一首诗叙一种中年人的情思非常亲切,末尾几句为"壑舟无须臾,引我不得住,前途当几许,未知止泊处,古人惜寸阴,念此使人惧",我以为这一个"念此使人惧"的惧字,实在是当下的实感,而再无多话可说,他本是说我们坐在船上,还不知道泊在那里才好,然而我所坐的船实在在那里走,一刻也不能因我而迟留,于是想到

---

① 原稿如此,疑为"多"字之误。

古人惜寸阴而感到一种人生之严肃,这个意思来得非常之快而实在不好说,所以我们要心知其意,然而我记得有一位先生告诉我说这是古人自叹学无长进,要爱惜光阴,甚矣,解人之难也。我平常执笔,总是辛苦的用心,总想把自己的意思像画几何画那样的画出来,觉得还少这种意到而笔未到的地方,盖读者之解与不解为一回事,而作者总要尽其力做到可解处又为一回事也。至于先生所说深入浅出四个字,确是我近来做小说所羡慕的一种境界,大概是年事稍大一种自然的结果,其实我的诗是比较为我最近的产物,有许多地方私心倒真以为是快到了深入浅出的法门,大概深入浅出并不是深者变了浅,深浅原是一定的,有一寸深就令人有一寸深的感觉,桃花潭水深千尺,澈底澄清,可以临渊羡鱼,自然不同江海之水令人看不见底,然而总令人不胜深厚之感,不致于俯视无遗。作文本也可以算是一种"技",有如庖丁解牛,渐渐可以练到一个不费力的地步,别人看他很容易,其实叫别人去干要费九牛二虎之力,神乎其技自然能神乎其道,天下的大事弄在手上若抛丸,这或者也是深入浅出的一种解法。那天我听了先生的话后,路上曾这样想过,诗与小说恐怕实在是两种体裁,一个好比一位千金小姐,不出门一步,自己骄傲自己的天姿国色,一心要打扮得好看,结果也真个的绝代好看,路人见之忘其故步,瞻仰徘徊,然而这位女子当她临妆对镜时注意自己的意思多注意旁人的意思少,这就好比是诗;又好比一位大架子的妓女,阅历多了,什么都见过,其对镜自照的意思却甚轻,然而打扮的本领非常之大,随手都是巧妙,随人可有亲近之感,然而她生来是个大方之家,谁也不敢狎而玩之了,这就好比是一种小说,做到深入浅出的境界。拉杂写了这么些,简直的不知所云,然而先生引起我一个说话的兴会,真是衷心的感到一种欢欣,总之先生当初登高一呼,为我们开了一个方便之门,而我自从入门以后,走了不少的路程,乃一旦忽然贯通之。这里头到底是一回什么事,我觉得这是我们后起者应该有的精神,私心窃要好好的把这个文坛奠住,也正是"凭咱这点切实工夫不怕二三人是少数",这里头的悲欢苦乐不可一言尽,更愿先生有以教之幸甚。

废名敬上,二月一日。

七①

适之先生:

又有好些日子未来听清谈,窃尝以为晤谈而能与人以乐,是特为老博士座上之风也。近日外面流传北大文学院将要多事,而先生又听说已到文学院视事,于是私心欲进一言,对于天下一切之事,我似向不觉得有话可说,今番这件事对于我又好像是别人之家事,不该归我谈的,而我欲谈,且乐于谈,是敬重先生之故也。未开言又得分辨一句,若林损之徒应该开除,无须要别的证据,只看他胡乱写的信便不像是读书人,何能教书,故今之所言不指此。外面说北大又要开除某人某人,如真有此酝酿,在普通人为之,是一件小事,若先生也稍稍与其职责,直可谓之大事,割鸡用牛刀,惹人注意也。说一句衷心之言,先生不应该担任文学院长之职,天下人之事让天下人去做,若大人者自己来做事,则

---

① 此信作于1934年5月。

一怒应该天下惧,那怕是一件小事也要关系十年的大计也。再说一句衷心之言,今日方方面面都缺乏人才,凡事都等于老爷换听差而已。我自知,对于世事不无不恭之嫌,然而从此可以见我的一个最恭之意,即尊重先生个人地位之庄严是也。究竟此事的真相如何我一点也不知道,却无原无故的动了向先生进言之诚,言又不足以达意,又自觉好笑了。总之今日之中国,一个学校的事情同国家外交内乱一样的没有办法,区区之意愿先生为道珍重而已。拙作《读论语》,曾蒙赞许,心窃喜之,尚思续有所作,惟最想做的恐怕反而做不好,因为《论语》最有意义的地方大约还不在我们今日有新解的章句,在乎很小的事情,却可以见孔丘先生为人之真不可及,他随在都合礼,最高的颜回尚只能"不违仁"而已。私意以为合礼须是不违仁的工夫做到平易自然的气候。入太庙,每事问,他自己说是"礼也",这个礼我还不怎么懂得,想来总有道理。"子食于有丧者之侧未尝饱也","子于是日哭则不歌","子见齐衰者,冕衣裳者,与瞽者,见之,虽少必作,过之必趋",这些地方都令我佩服,我们今日坐洋车,偶然也有一时的恻隐之心,孔子则"无终食之间违仁",而自然一个从容有礼的气象了。陈司败问昭公知礼乎,他答曰知礼,不怕人家说他的话说错了,这证之以《孟子》所载燔肉不至不税冕而行,都可以见孔子的忠厚,也就是礼。原壤这个老头子孔子要骂他几句,互乡童子与阙党童子他都要见一见,孺悲他偏偏又故意不见,这些地方大约都是礼之所应尔,所以我们至今如见其人,只觉得他可爱,一点也不觉得他的脾气不好。当时受之者我想也不怨他,只看他常常骂他的学生,当面说子贡不行,而学生都无怨言。他说,"年四十而见恶焉,其终也已,"大约他自己是能够令人心悦诚服的人。

待人之道,对人发脾气而百世之下尚能令人怀想,有两个地方我最喜欢,一个便是上面所说的孔丘,一个则是陶渊明,陶诗有云,"多谢诸少年,相知不忠厚,意气倾人命,离隔复何有",陶先生大概很受了少年人的气,而他的这四句诗真是说得忠厚极了,世间的少年血气方刚,自以为理直气壮白刃可蹈,那还有什么不可同情的呢?拉杂写来,遂不能自已,不觉已夜深了。敬请道安

            废名拜上 十四日夜

致徐炳昶(一通)①

旭生先生：

我今天看了先生同鲁迅先生的通讯，忍不住插几句嘴。

我觉得中国现在的情形非常可怕，而我所说的可怕，不在恶势力，在我们智识阶级自身！一般所谓学者们，在我看来，只是一群胖绅士，至于青年，则几乎都是没有辫子的文童！所以目下最要紧的，实在是要把脑筋还未凝固，血管还在发热的少数人们联合起来继续从前《新青年》的工作。现在虽说有许多周刊，我敢断言都是劳而无功。几乎近于装点门面。尤其不必做的，是那些法律政治方面的文章，因为我们既不要替什么鸟政府上条陈，也无需为青年来编讲义，——难道他们在讲堂上没有听够吗？我们要的是健全的思想同男子汉的气概，否则什么主义，什么党纲，都是白说，——房子建筑在沙地上，终久是要倒闭的。

我极望先生的第一希望实现，大家来洒一点血，呼一点新鲜空气，——不过这事不能勉强罢了。

冯文炳。三，二十。

---

① 此信作于1925年，载北京《猛进》周刊1925年3月27日第4期"通讯"栏，署名冯文炳。

致鲁迅（一通）①

鲁迅先生：

　　我这样的文章，可以在先生的副刊上凑篇幅吗？署名就用那两个字。编辑者如有权利多拿几份，我倒很盼望先生每期赠我一份，免得我到号房铺台上去偷看。

　　　　　　　　　　　　冯文炳，十二，二十六。

　　我的住址：马神庙西斋。

　　我到先生家来过几次，都是空空而返。

---

① 此信作于1925年。手稿，原件现藏北京鲁迅博物馆（北京新文化运动纪念馆）。

致陈源（一通）①

通伯先生：

我读了一月三十日晨副上先生所发表的几封信，一时觉得有许多话要说，而不知怎样说法才好！终于决定这样正经的同先生谈谈，而且借了京副公开出来。

不知先生是怎样的看我，但我是如志摩先生所说"不曾混入是非旋涡的人"，这只要知道我的脾气以及我平素的交与，就可以明白。我在北京四年，见面最多的是周岂明先生同先生，先生如果记一记我会了先生多少回，那么我同岂明先生会面的次数决不更多，不过我以后还是永远的间歇的去会他，——不然我真寂寞得要死了。我未来京以前，就同岂明先生通过信，他的无论那一篇文章我都读过，他所欢喜的几位名家的小说都介绍过我，借我以书籍。我此刻不做"岂明颂"，用不着直抒他是怎样，从我看来。而且我知道的西洋名字很少，用来比衬，怕难得与我眼中的周岂明相合，——大家近来说左拉等等如生在这样的中国一定怎样怎样，我却立刻反问我自己，那么，周岂明不正是怎样怎

---

① 此信作于1926年，载北京《京报副刊》1926年2月2日第403号，题为"给陈通伯先生的一封信"，署名冯文炳。

样吗？

我同岂明先生已经有一两年的来往的时候，看见《努力周报》上胡适之先生介绍先生的名字，说先生是北京研究西洋文学方面最广者。我当时真不知道是怎样的高兴，然而我还不肯去拜访，因为我生成了的坏脾气，不进大人先生之门，除非我们彼此实在有精神上的默契。而我总是想同先生会一面的，好请教西洋文学。到后来我同先生时常相处于一室，而我也就坦然走进先生的家了。所以我之想认识先生实在同认识岂明先生是同一的来由。

我并不同一般诗人文士一样，说时下中国报纸从来不过目的，我差不多什么报纸都看，只要我能够买，何况是先生们办的报？所以先生的无论那一篇文章我也都读过，另外还有课堂上时常聆教的机会，以及关于我的文章先生所发表的意见。从这种种，我对于适之先生的话怀疑，但同时也无损于先生，因为先生从没有替自己个人贴广告，而且先生对于英国现代文学，如威尔士之流，不正看了好多的书吗？这样的文学，虽然不为我所欢喜，但世界是多么大呢。

不幸的是先生的《闲话》一周多一周，叫我读了总是仿佛有点抱歉似的，这样的话不该出自先生之口！我决不牵扯到先生的人格，完全是在所谓"思想"上。我觉得先生颇有从前《新青年》所谓"笼统"，"以耳代目"的毛病。试举一个例来说，先生在某一期《闲话》里说北京的舆论对于胡敦复个人前后异趣，仿佛很可怪似的。我以为这如可怪，只怪在先生。先生既没有举出事实来，说胡某之为人前后是一样，为什么舆论不可以两样呢？记得儿时做《唐明皇论》，最得意之笔，是"开元天宝，同一明皇"，我的那位塾师果然也替我打了许多密圈哩。这里我只是表明虽然是先生,我也不敢护短,而且心里很以为是我们中间不幸的事。

到了形之于笔墨,驳难先生,真是我的不得已,——并不是怕得罪人,我的心里难道还有"怕"的影子吗?所得罪者是先生,彼此是那么熟,不大好意思见面而已。不得已有两点。其一是先生那样的执着文艺上的"标准",而我又苦于自信是懂得文艺上的标准者。——这样真是彼一是非,此一是非,无已只有效"孤桐先生"录某一篇文章(这篇文章我忘记了名字,也不知道是那一期《甲寅》上)到他的《甲寅》上一样,我们也把彼此的文章录到那一种有生命的刊物上,留给我们的子孙去参考吧?不过谁是有生命,又要引起了问题,一笑。其二是岂明先生说先生不是,先生也回说岂明先生不是,真同北京近年来报纸上的论前广告一样,你看成什么一种现像!而我觉得我"应该就事论理来下一个公正的判断",这公正的判断就是在京副上发表的那一篇《(")偏见(")》。这两篇文章第一篇因为事实上不得不举出先生的名字,所以说得非常婉曲。(先生如果看见我的初稿,那才真讨厌。)第二篇我几乎是要先生一个人看的,我的本意本在打动先生而已,——这也许是我一响太把自己看得重吧?

后来见了先生以新年为界,掉换"闲话"的方向,暗地里欢喜,虽然我不相信先生的文艺谈会于我有什么用处,就先生个人说,实在应该如此"闲话"也。徐志摩先生却有趣,引出了他的"闲话",我当时真觉得他无味,于先生怕没有好处,于是做了极短的一篇文章:

请大家去看今天的晨报副刊上徐志摩君子的《〈闲话〉引出来的闲话》！他实在是引出了我的吐呕。尚何言哉？与谢野晶子已先我而做一首诗矣——
"拿了咒诅的歌稿，按住黑色的蝴蝶。"

这篇东西刚刚发出去，我又觉得殊非所以爱先生之道，因为它牵及了先生，所以马上另写一信给京副记者，请他没收。

提笔就写了这许多的往事，无非想表明我有下"公正的判断"的资格。其实我也不怕人家说我"偏"，我反正一切事都行其心之所安。

至于先生"这次生了多大的气"，我倒觉得是很近人情的，料想岂明先生也并不怎样见怪，因为人生在世上，本不是来承受公理的，被人骂了总会生气。不过倘若说岂明先生因了先生发表这几封信，便失了他的根据，要让下"'正人君子'的交椅"，那就未免太可笑。我依然觉得岂明先生所说的先生所辩驳的那句话，岂明先生说了一点也无妨，现在这样的人，照先生的信看来，不并不是没有吗？不出于先生之口，令我很欢喜罢了。先生的信，因为是"气"中写的，所以有很多不圆满的地方，我都不提出。提出来，表面上是替岂明先生辩护，其实是把岂明先生看小了，他为人的健全，难道有心人还看不出吗？我仔细想了一想，先生实在并不是同岂明先生有什么"仇"，完全因为对于"周氏弟兄"的性格同文章不能了解，疑心他是有意来同先生个人为难，因此连用假名也怀疑起来，你看这叫我们"公正人"从何处下手？（先生致志摩先生的信中引鲁迅先生区区金事云云，实在是先生太老实之故。）

说到鲁迅先生，我要提出一个较大的问题，就是，个性的表现。平常总把个性两个字用在好的作家身上，其实无论什么人，只要他多说话，我相信我都可以看出他是怎样一个人，所以属于先生那一派的文字，虽然作者我多不熟识，我敢说我也认识他们。孔子说，人焉廋哉？人焉廋哉？实在是不错的，不过条件还不要孔先生的那么多，只要观其所言就够。我简单的画出一个圈子，可以概括时下一切文章的特点，那就是"生活之实感"五个大字。在这圈子之内者，不过三数人，鲁迅先生是其一也。他的文章，先生说"看过了就放进了应该去的地方"，一时快意的话，令我很伤心！然而也难怪，并不完全因为他爱骂人，骂的又是先生，先生们的文章，我固早已觉得是我所谓的圈子之外者也。鲁迅先生一年来的杂感，我以为都能表现他自己，是他"转辗而生活于风沙中的瘢痕"。"刀笔吏"云乎哉！因为我同情于他的苦闷，他拿先生来做骂的对像，有时我竟忘记了先生也是我所熟识的人了。如果要我记出他不得体的地方，那还在证据确凿，如汉人四书注疏之类，因为这实在无害于先生之研究西洋文学也。

我顺便借这个机会问一问徐志摩先生，因为也是与先生发表的几封信连累而来的。徐先生说，"他（岂明先生）爱小挑剔"，不错，我就承认这是"小挑剔"，但现在一般西洋留学生比"周氏兄弟"翻译的工作还大的挑剔在那块？徐先生又说，"彼此同是在思想言论界负名望负责任的人，同是对这梦乱的时期有各尽所长清理改进的责任，同是对在迷途中的青年负有指导惊觉的责任。"但倘若有人把这"小挑剔"认为就是清理改进这纷乱的时期，就是指导惊觉在迷途中的青年，不也是见仁见知，各在其人吗？还有一件最有趣的事实，徐先生所谓的两造，一造老是自认

"包含有私己的情形"一类"下流"话,一造则曰"纯粹与己无涉","为正谊为公道奋斗",虽然字句不一定同徐先生的一样。这到底是怎么一回事?

我拉杂写了许多,恐怕没有说尽我的意思。我所最不高兴的,是如徐先生所说,先生的"地位一向是孤独的",倘若先生也有许多"喽啰",不知道我是否如我所自信,我的这类文章一定发表得更多?

冯文炳,一月三十一日。

致杨晦(七通)①

一②

慧修大哥：

　　昨日你从翔鹤那儿走后,我甚难过,觉得你能者太劳了。吃了晚饭我到西车站,以为凑一点热闹,伴你汽笛一声后同归,然而到时是八点半,一直到车开了还是找不着你们俩,真真奇怪,难道荫潭终于没有走吗？回来时夜深人静,很是沉想,觉得我应该努力做工,一切要不闻不问,本来我不是打算彷徨于人世间者也。因此我写了一信炜谟,有所劝他。从今日起闭门潜修,无事不乱跑,(写到这里想起了我的棉鞋还在你那儿,可见仍是孙猴子的野心也,然而,食言而"瘦",老兄我想你也仍是可怜我呵。)归根一句:昨天晚上到底是怎么一回事？

　　　　废　一月五日写了文章之后忽然大发豪兴

----
　　① 第2通载北平《华北日报副刊》1929年6月6日第82号,第3通载北平《华北日报副刊》1929年9月19日第165号,其他5通系手稿。第1通原件现藏中国国家图书馆,第3—6通原件现藏中国现代文学馆。
　　② 此信作于1929年。

二①

慧修兄：

屡承问稿，我知道你的殷勤，未必由于贵副刊之一定要我的稿子，恐怕是你想我为发表一点文章换稿费。可惜我不能这样。像今天这样的东西，以后陆续送一些来，依然是"无题"的一部分，以能独立成篇者为限耳。必要时加一点注解。匆匆不一。

废名，六月一日。

三②

慧修兄：

这篇东西，一十八个月以前写得一部分，曾刊于《语丝》，题曰"未完"，附有这么一个尾巴——

"未完"本来应该在这里，四火的故事尚未完也，但不知要到那一天才能够把他完起来，因为著者忽然心灰了，——这是说没有兴会往下写，开始就想不出好题目，题目又不可没有，乐得这样颠倒一下。

又，这是实话。

年月日

此刻算是把他完了，证明我并没有撒谎。然而我真是还了一个

---

① 此信作于 1929 年。
② 此信作于 1929 年。

笔债,明天到你那儿痛饮几杯。曾经刊载的一部分,此刻亦大加修改,努力想他成功。若问我为什么忽然想起了四火,不肯放手,那来由可长,此刻没有工夫细说,总之好像是若干年以前读了莫泊桑的一个流氓的故事罢。然而我的完全是实录。

废名。

四①

慧修兄:

已经到了,一切布置好了。此刻动笔写信,一写就有七八封,原来仿佛有好多话要向老兄说,这一来都没有的说了。悲哀极了。

废名 二月廿一日

荫潭同志就此请了,努力工作!
通信处为"西郊门头村正黄旗十四号"。

五②

慧修兄:

不见来信,为念。事情不知怎样?当初我下山来时,兄叫我就上课,我踌躇,因为我恐怕事实上兄终于没有离平,不合式,现在既已出去了,则无论时间久暂,我去任一点劳是不要紧的。兄能够把我当老弟待之那就好了,我是至诚的。今日会见岂明先

---

① 此信作于 1930 年。
② 此信作于 1930 年。

生,他说刘启宇先生问炜谟叫炜谟写信问你一声,我想不如我写信好了。

　　我们的刊物大概五月五日可以出版,事实上要我编辑,我也就估量事实,只要事情成功,不惜卖一点气力。应该"拉"的人都拉拢来了,而且大家都欢喜得很。前日在苦雨斋吃饭,遇见不少的人,都巴不得我们的刊物成功。我的私心呢,是要逼得我写一部上下古今乱谈,无法偷懒,大家也都莫逆了。我如果是女人,大概是一个婊子,方方面讨得好,然而我实在是一个情人呵,大家小姐的风度。君培也高兴极了,他说刊物办得成功他简直不出洋□□。二冯四马,缺少了一点都不行,——如果终于是说一顿空话,那咱们一家子都没脸了。至于钱的事,因为都是相知的几个人,我们也就不便肯定,徐耀辰先生说他能拿出两百元来,那里用得许多,后来他说拿出三期的印费,我想,还是由君培印一两期再看,如果销路好,不赔本,那自然不成问题,否则再商量。我们的东西还没有出来,听说就有人要来找我要一同合作,而我的态度是以"少数"为好,欢迎投稿罢了。

　　令堂大人我不大放心,恐怕老人家寂寞,差不多每天去问候一次,然而还是因为作文忙,而且手下钱有定数不能乱用,不能邀出去外,私心殊引为不快也。

　　祝好!

废名　四月二十日。

荫潭好。

六[1]

慧修兄：

今午有一信，计达。我此刻从苦雨斋回来，岂明先生被我拉住了，我要他一周写二至四千字，所以这一方面不成问题，望你们多多来稿，我以为周刊与日刊不同，一次登不完要连续几期似不宜，所以稿子不宜写得太长，何如？北平方面能做文章的人而又可以拉一下者大约都拉得来。顺道我又看了炜谟一下，今天他又似乎很好，他老先生真有点莫明其妙了，王女士我看也很好。我从来没有这样忙过，今天早上简直没有工夫吃饭，正在写信你，而又来了一阵客也。下午偷一点空上市场买一点食菜带到你家去，而老太太不在家，说是"二先生"引着上万牲园去了，原来你的弟弟回来了，据说是他们学校闹风潮放假，却不干个人的事，然而我没有会着他。

　　　　　　　废名　四月二十一日夜

君培老弟我简直还要哄他哩。今天我告诉他，凡属他的文章，一做好就要交给我，非登不可，而且"我把你登在前头！"他简直要把一篇一篇的东西都当作名山事业，要那样求好，而做起来了又以为不好，愁眉莫展，你看这是何苦来？看他几时把这个毛病儿改过来，那就好了。

---

[1]　此信作于1930年。

七[1]

慧修兄：

　　我们的刊物现改于五月十二日出版，第一期已编好了，作文者有"岂明""平伯""冯至""废名"，还有一位"丁武"，还有一个发刊词。弟不求有功，但求寡过，北京的话是"凑合"也。钱的事，他们那老辈子也关心，问我，我想还是由我们少年担当罢，即是照你的计画，我有钱时我也可以出钱，不然的话，好比徐耀辰先生，他慷慨输将，而他的功课又实在忙，恐怕少暇作文，我们似乎有点不忍。倘若生意发达了，那自然不成问题。君培恐怕还要你做一个后台老板，时时鼓励他，总之，他虽然也能干，能做事，而他总还是一个"诗人的心"也。（即是少年的悲哀，他只愿同你同我谈。）前天几乎办不下去，今天他接了你的信，于是又找我，我乃一口气扶助他，说现在非办不可，你算是替慧修服劳！于是他又好了，现在一定办下去了，广告已付印了。他或者有信告诉你，如无信，你就别向他谈这些，只鼓励他要好好的办好了。你们都要寄文章来，篇幅不宜太长，（现在是照《华北副刊》样式印）你还要写信翔鹤催文章，要劝他们做文章都要同写信一样，不要看得太严重了。这样文章就多了，而且又何曾一定就比那样做得不好呢？你们不来文章，那我就太苦了，你知道，我是一个肯负责任的人，千万要体贴我这一点！弄得我三十六计走为上，一走又走到西山去了，那大家都没脸了。炜谟我不敢劝他做文章，

---

[1] 此信作于1930年。

简直不"谈",劝他□,唉,从何说起,你也不必多问了。他告诉我说"身体不好"。他实在很可怜,你也不要责备他,且你我而外也不让别人知道。我不能搬到你家去住,因为这月的房租我已交了,而且到那儿去,也住不了多少日子,反正终于又是要搬家的,我打算在此再住满一月,然后觅一个固定的住所。在这儿只歉〔嫌〕他是东房,别的我倒都很喜欢。由闲人忽而变为一个忙人,别的都不说,只是不时挂念你的母亲,不能常去存问也。你们手下如有钱,可以借三十元我,寄到君培处,汇票写"后门邮局",不要由你家里挪,因为我与老太太语言不太通,说话每不能达意也。你这月的薪水我已告诉炜谟叫他如发下时去领来交老太太。我本来也可以代领,只是同会计要多说几句话,我歉〔嫌〕麻烦也。

废名　四月二十八日

致程侃声(二通)①

一②

鹤西兄：

　　昨夜我回了你一封信，恕我在这里又把你捉住了。咱们的老老板提议，说《骆驼草》要设一个通信栏，天下人之不弃咱们者，都可以来，截至今日为止，"邮筒"尚是空的，我想咱们两人是老乡，情谊应该不同一点，不妨先来它一手。

　　我劝你还是做点文章，"瞎想"不定是平安的勾当，"瞎过"或者无妨。我所谓的瞎过，即是"冲上前去"的意思，并不是平白的往上前"冲"，人是不会那样的，逼得来了似乎就可以冲，大可以"大无畏"儿。好比失了业，吃饭的问题来了，这是多么一件重大的事，岂可以捆肚子"挨"吗？又好比恋爱，又是多么一件大事，更应该大胆，不妨摆开一切。常言道，"天不生无路之人，"我以为是有点儿对的，而世上总没有一条直路，有之或者是人工的火车道，像地图上画的那样，那我只是小孩子的时候好奇的看它一

---

① 第1通载北平《骆驼草》周刊1930年5月26日第3期"邮筒"栏。第2通载北平《水星》月刊1935年1月10日第1卷第4期，与致卞之琳信合题为"诗及信(二)"。

② 此信作于1930年5月。

看罢了。冲上前去,而又自然要绕几个湾儿,这一绕湾,非同小可,我们生而为人的本领就在这里发现了。然而这是信笔这一乱写,与你完全无关,我也丝毫不负责任,落得说大话了。你的几句话,虽然是匆忙写的,我可仿佛很能懂得,很喜欢。Flaubert 老师,我也是那样想,他总算是文艺女神的一个孤忠的祭司,辛苦了一生,看他同 George Sand 的通信,真是可怜死了,我们能不敬而爱之!他自己说他是沙漠上的骆驼,他的好朋友说他是一个鹰。人寿几何,在一切生物当中自己愿做骆驼——其实不好说是"愿",总之做了罢了,一件冷淡的事,没有什么大惊小怪的,然而我们是同类,人生的意义这里也是有的。我近来很喜欢谈"做文章",或者也就是你所谓的"能把这故事渲染得真好的,是顶会作文章的人"的意思。不然我们谈什么呢?空虚得很,没有着落,也无从谈起。圣门也有言,"夫子之文章可得而闻也,夫子之言性与天道不可得而闻也。"又云,"子罕言利与命与仁。"或者我们也可以自喜。但我相信中国的人一点儿也不懂,所以人家说"一为文人便无足观。"我也要这样说。中国人无论正面反面,反正都是非愚则妄。远古不说,中间有一位陶潜先生,他真是生活过了,算得一个"顶会作文章的人",不管后来人怎样学他,恭维他,我以为到底是一个寂寞的事。中国有一个传统,至今日而不衰,就是,学优而不仕便失了他的"国民一份子"的资格似的。我当然不是劝人都学 Flaubert 先生,我那里有这样呆,这岂是我们学得来的?外国人,就是天天在社会上打滚的,并不就穷则怎样达则怎样,也辛苦的过了一生,而且前人栽树后人乘阴,我们此刻也可以躲到他的大树之下休息一番了,而且忍不住要叹息一声。我是想到了莎士比亚与西万提司他们两位。他们似乎不像 Flaubert 那样专心致志做文章了，只是要碗饭吃。他们真是"顶会作文章的人"！他们的文字并不是做得不多不少，你不可以增减一字，他好像就并不在乎，而我们在这里看得见一个"完全"的人了。顶会作文章的人大概就是一个生活的能手，乘风破浪，含辱茹苦，随处可以试验他的生存的本领，他大概是一个"游民"，逐水草而居了。可惜中国是特别国情，中国的人可以分成两类，如果不是"不得志"便是"得志"了。然而天下事也很难说的，我当然也不必固执己见，屠格涅夫说西万提斯的"吉诃德先生"是代表一个理想派，到今日中国的文士还引经据典，把屠氏的文章大介绍过来，我的意思则适得其反，他是——他是一个"经验派"！要了一个猴戏给我们看。他"将这故事渲染得很好"。这一来两叶稿纸已经满了，我也不知说了一些什么，反正你大约也懂得我的意思，而且向来见面我是爱说话的，这些话大约也都胡乱说过，现在则是一个"官样文章"罢了，盼望我们这个邮筒不寂寞，有列位大家好的好的通信在后。

废名，十五日。

近来作诗没有？这个行当也大不可以让它衰落，还应该好好的生长一下。我的少数的朋友一半都是做诗的，我总是混在当中乱发表意见，我真真的是同新诗恋爱，总巴不得你们出几个好诗集子，那我真是感到一种光荣。

又及。

二[①]

鹤西：

　　两首诗我读了果然喜欢，就此贺你了。今早看了你的这两首诗，我也提起笔来写一首了，你知道，我写诗完全是一个偶然，近来简直不有诗兴，也自己知道我是不会有诗兴的，只是喜欢看别人有诗，但前日夜里忽然有一个诗的感觉，自己觉得这感觉很好，但也就算了，不想用纸笔把它留下来的，接到你的诗，为得表示欢喜起见，我乃同算算学一样把我的前夜的诗用符号记录如下——

　　　　我是从一个梦里醒来，
　　　　看见我这个屋子的灯光真亮，
　　　　原来我刚才自己慢慢的把一个现实的世界走开了
　　　　大约只能同死之走开生一样，——
　　　　你能说这不是一个现实的世界么？
　　　　我的妻也睡在那壁，
　　　　我的小女儿也睡在那壁，
　　　　于是我讶着我的灯的光明，
　　　　讶着我的坟一样的床，
　　　　我将分明的走进两个世界，
　　　　我又稀罕这两个世界将完全是新的，

[①]　此信作于1934年。

还是同死一样的梦呢?

还是梦一样的光明之明日?

你看了以为何如?不吝棒喝是幸。匆匆不多及。

废名十月十七日

致廖翰庠(二通)[1]

一[2]

翰庠先生：

我们谨以至诚接受你的信。《骆驼草》同人本来并不是有一个共同的信仰才来合办这一个刊物，最奇怪的是他们知道他们不是有一个共同的信仰而共同的来办这一个刊物。然则他们总有一个共同之点？有的，他们的态度是同一个诚实。既然是这样一种集合，则其没有一个"旗帜"，是当然的。然而我们可以奉告于先生，"不痛不痒"，则完全在乎读者的看法。我们要不欺骗人，则先生所谓"能如一般人期望你们要说的话，能够尽量的畅谈一通，那就算是痛快之至了"，我们颇难于作答，因为我们向来正是不能说人家要听的话，只是说自己的老实话，虽则我们也喜欢知道一般人要说的是什么。

文章自有文章为证，做文章的人总要把他的意思说得明明白白，或者可以借先生的话，"某种话，用某种态度去说，"所以作

---

[1] 第1通载北平《骆驼草》周刊1930年6月9日第5期"邮筒"栏，署"记者"。第2通载北平《骆驼草》周刊1930年6月23日第7期，署"骆驼草社"。

[2] 此信作于1930年。

者于文章之外能作另些解释否,殊是一件窘事,尤其是对于至诚的读者。

记者,五月二十八日。

二①

廖翰庠先生鉴:

请将住址示知,因有回信直拟〔拟直〕接寄奉也。

骆驼草社启。

---

① 此信作于1930年。

致钱玄同(一通)①

疑古玄同先生：

兹敬请先生代书标语两条,将来就挂在小生的山斋,不胜至诚感谢之至。文曰,

六经责我开生面

七尺从天乞活埋

废名 二月二十八日,在岛上。

---

① 此信作于1931年。手稿,现藏北京鲁迅博物馆(北京新文化运动纪念馆)。

致卞之琳(二通)①

一②

之琳兄：

你叫我把鹤西给我的信同我复他的信交给你拿去发表，因为那里头有诗。我想鹤西的信或者单抄诗给你那是应该的，我的复信却没有什么意思，因为我的那首诗我觉得不好。鹤西的这两首诗我很喜欢，大约因为我怀念他，他远远的在那个没有"落叶树"的地方住了一年又回来了，若在不知作者行踪的人读来恐要隔膜一点。前天我在《水星》上读了足下的《道旁》，又很有恭贺你的意思，这种诗我读来很感觉新鲜，看来拙，其实巧。似造作，其实自然。足下诗篇于诗的空气之外又更有文章的 style。总而言之是一个新的"清新"。我复鹤西的信里所写的一首诗，虽然是想如实的画下来，其结果与当时的感觉却很不一样，当时的感觉并没有那么多的"大话"，只是玲珑朴质可喜，看

---

① 第 1 通载北平《水星》月刊 1935 年 1 月 10 日第 1 卷第 4 期，与致鹤西（程侃声）信合题为"诗及信（二）"。第 2 通见卞之琳《〈冯文炳［废名］选集〉序》(《新文学史料》1984 年第 2 期)。

② 此信作于 1934 年。

了你的《道旁》我乃另外用一个方法来描画一下,结果仍是失败,兹照抄于后。

  糊糊涂涂的睡了一觉,
  把电灯忘了拧,
  醒了难得一个大醒,
  冷清清的屋子夜深的灯。

  目下的事情还只有埋头来睡,
  好像看鱼儿真要入水,
  奇怪庄周梦蝴蝶
  又游到了明日的早晨。

废名十一月十六日

二[①]

之琳兄:

  你去雁荡以前由上海写来的信早收到了,今日始接到雁荡来信。杭州有给你的信却是由北平转,兹转到雁荡来了,请收。我暑中原不打算回家,最近或者要回去亦未可知,因为我有一个侄儿子将到北平来读书,我写信给他请他自己一个人坐火车来,尚未接到他的回信,万一家中要我南归同他一块儿北来,我大约

---

① 此信作于1937年。

就回家一行,如回家当在四五天后就走,北来也一定很快,随时再奉告了。这半年内读了几部好书,见面时当很有可谈的,盼望秋天雁飞来了。敝《桥》工作进行颇顺利,可不致愆期。北平读书人有一个无聊的"中学教员"据说是大学教员做了一件无聊的勾当,不足扰山中瀑布的清听也。匆匆顺颂

暑安

文炳　七月八日

致林语堂(一通)①

　　这回想不到先生给了我一个烟士披里纯写了一篇长文章,虽见仁见知有不同,其同为正心诚意之处确是一桩大事,兹敬以呈教。此文在拙作中篇幅虽算长的,若较之先生之妙文章如《怎样洗炼白话入文》至多亦不过相等,请准在《人间世》一次登完,千万莫把他切断,因为我本来只写了两千字的,而正在病中吐不过气来还是要把他补成现在这样的篇幅,此话大有叫化子露出疮腿来伸手乞怜的样子,然而确是实在的陈情。② 是可见真有不可切断之苦心焉,若稿费则无妨打折。是为私心所最祷祝者。久有一点意见想贡献于左右,这回因为抄写这篇稿子遂越发的感觉到,便是简体字提倡也可不提倡也可,别人提倡也可而我们不提倡也可,我们如果偶然写了几篇红红绿绿的六朝那样的文章,岂不是亦大快事,简体字岂不大为之损色?不读书的人岂能看得懂我们的文章?能读书的人恐怕要讨厌简体字。故我以为简体字者非——林语堂先生主办的杂志所提倡之字也。实在简体字者徒不简耳,不简手而烦目耳。在字模子上无所谓繁简,印

---

① 此信作于1935年,见虞山平衡编、万象图书馆1949年2月初版《作家书简》。
② 此句为插入文字,书于信稿上边空白处。

出来看在眼睛里笔画少而难认耳。愚见如此,不知先生以为何如?中国目下的事情不在这些小事情上面,而我们的文章大事更不在这些小事情上面。匆匆不悉。敬请
道安

       废名上言 三月十七日夜。

致朱英诞(十二通)①

一②

英诞先生：

  昨日林静希先生带来 尊诗集,读完之后,甚觉佩服。明日有暇想约足下同静希先生到公园谈。我有几位朋友都是做新诗的,都不在北平,可否请将《无题之秋》再给我两三本转送外方的朋友们一看？匆匆即颂
著祺

废名 四月廿九日

---

① 载北平《新北京报·新文艺》1939年8月11日、18日第16期、第17期,总题为"冯文炳书简",共录书简12通,其中第16期8通、第17期4通。第16期书简前有一段"曼茵志":"最忠实于自己灵魂的废名先生的作品,多年不见了。这些短简,是他寄与朱英诞先生的。谢谢朱先生的盛意,他让我们知道冯先生平安,让我们在冷落的文苑里,竟得尝了一滴'竹青色的苦汁'!"

② 此信作于1936年。

二①

英诞兄：

　　来札均读悉。现由我约定于星期二（五月五日）下午两点钟在中山公园后门池边柏树下茶座上晤谈，并已函知静希，届时请你径由西城往中山公园为幸。匆匆。

废名　五月三日

三②

英诞兄：

　　休洗改句读悉，鱼龙意甚佳，但与全诗似不调和，因灵光太重。因了你的鱼字，引起了我一句，敬供参考，计开

　　又晴天在水里乃鱼之美丽

　　今日信封恰好是蓝鱼，前信封则是"朱每麟"。前信退转，兹亦附阅，作明日黄花可也。

废名　十九日灯下

四③

英诞兄：

---

① 此信作于1936年。
② 此信作于1936年。
③ 此信作于1936年。

雪中我也是访友谈天去了,孰知乃有朋自远方来,其实离桥上不远,何人不知而雪不亦知乎？归来乃留得足下之"悲观",我亦甚觉可惜也。匆匆。

废名和南　十五日

五①

英诞兄：

来札欣然读之,又不无记念耳。骑七〔士〕清华园又于西风残照中回来乎？白骑少年路遇霍去病乎？这句话应请金圣叹来批,找〔我〕却是言不尽意。敝斋炉火迄无生灭之感,因一向未灭故,是春寒虽同,室内空气或不无异感耳。匆匆不悉。

卞公已回上海去了。

废名　三月廿九日

六②

英诞兄：

兄同静公走后,细雨不止,因拿出摩诘诗来看,觉　尊解甚有禅意,得益不少,此事盖在不觉之中,不知如何,难得今天细雨不止,此函不可在雨中送过去也。

废名　廿五日

---

① 此信作于1937年。
② 此信作于1937年。

七①

英诞兄:

　　来札欣然读之。敝斋日来甚有闲,羡慕清谈,明日故人来不来也? 风雨有十日不到河沿了。匆匆。

　　　　　　　　　　　废名　七月十三日

八②

英诞兄:

　　今日得示,甚慰。那日傍晚别后,常思一访　足下,又以事忙少暇,为念也。福庆居七〔士〕在平安居,他说他将来想在此课蒙。宣外林公两周前曾在雨斋遇见,匆匆顺颂
安吉

　　　　　　　　　　　废名　八月十六日

九③

朱白骑:

　　来札读悉。前日你来,适逢我独步公园去了,那么足下不得

---

① 此信作于1937年。
② 此信作于1937年。
③ 此信作于1937年。

谓之"独步公园"矣。明日下午三时左右盼你能再到北新桥来,(这回不是替卞公送衣服,应该是替黄石公穿鞋子)因前次你苦口劝我回家,甚觉可感,我却不知怎的,总坚持不如不归去,孰知这个期间内看了两部书,懂得一件大事,(这个小孩赶快下来!——编者按:信笺上是青松冈头一个骑牛背口吹横笛的牧牛童,这一句用一钩画在他的赤足上),无论你听得懂听不懂,总之,应该来矣。

废名 十五日

十①

英诞兄:

两奉手札,敬悉

尊祖母大人仙逝,贤者似有过于忧戚之处,尚乞珍重。乡居已到江南二月天气了,林下二公迄未得消息,大约彼此都有所不知耳。鹤西则有信来,他似乎在家里下棋,可惜此事我完全无动于中耳。于

足下之事则甚关怀也。顺颂

近安

文炳 二月二十七日

---

① 此信作于1938年。

十一①

英诞兄：

　　四月十九日手书，展读之下令人有感激之情，好像得见庐山真面目也。此无他，大约这封信不是今体，是古风，甚可怀也。贫道近况大约仍是学而三章，若聚首一堂大约可与回言终日，若不当面，亦可不谈也。寄住在□②和宫西仓之敝友和尚，是一位有心人，他大约是真金不怕火烧，愈来愈觉得他的价值，

　　道兄暇时不妨常去谈谈，并代我问讯是幸。我很以读和尚的书信为乐，但怕他没有工夫写信，并请告和尚来信幸莫谈□③事。此语殊幽默，可入新世说。书不尽意，尚乞
珍重

　　　　　　　　　　　　文炳拜启　五月六日

十二④

英诞兄：

　　一年之间想兄在京平安，仍作诗否？今日思写一信，因为昨日能接到外方朋友来信，我乃安可无信乎？久未执笔写一个字，乃不知道如何下笔，斯亦奇也。一年间的困苦也好像同样的生

---

① 此信作于1938年。
② "□"应为"雍"字。
③ "□"指"国"字。
④ 此信作于1938年。

疏,这却又很可喜,难得我有如是芫芫,事情难得记得清楚了。林公昨日从长汀来信,云不期我仍在故里,至于今日则是故里平安,是所欲告于兄者也,复思拜托

　　足下,暇时往□①和宫西仓探问寂□②和尚近况,和尚在那里,则请兄与之一谈,替我问讯他,和尚如他往,请兄告我也。匆此即请

近安

文炳拜启　五月二十八日

---

① "□"应为"雍"字。
② "寂□",疑为"寂照"。参见沈启无《闲步庵书简钞》(1943年9月北平《文学集刊》第1辑)。

致陶亢德(一通)①

亢德先生：

《宇宙风》要在六月里出一个北平专号，我觉得这很有意义，我们住在北平爱北平的人还不借这机会好好的来鼓吹北平的空气么？可惜我自己是有心而无力，关于北平实在想多写点文章，没有办法只好向海上的朋友作北平通信了。我并不能说我知道北平知道怎么多，连北平话都不会说，怎么能说知道北平呢？我大约是一个北平的情人，这情人却是不结婚的，因此对于北平可说一点也不知道，也因此知道北平的可爱，北平人自己反不知。这样说来，我同北平始终还是隔膜的。就我说，我是长江边生长大的，因此我爱北方，因此我爱江南。北平之于北方，大约如美人之有眸子，没有她，我们大家都招集不过来了。我们在北平总看不见湿意的云，"朝为行云暮为行雨"此地人读之恐无动于中，《高唐》一赋是白赋的了，此刻暮春已过初夏来了，这里还是刮冬天的风，我从前住在北平西郊的时候，有时要进城，本地人总是很关心的向我说，"今天不去，明天怕刮风，"我听了犹如不听，若

---

① 此信作于1936年，载上海《宇宙风》半月刊1936年6月16日第19期，题为"北平通信"。

东风吹马耳,到了第二天真个的每每就刮起风来了,于是我进城的兴会扫尽了,我才受了"今天不去明天怕刮风"这句话的打击,想到南边出门怕下雨。现在我倒觉得出门不怕下雨,而且有点喜欢,行云行雨大有行其所无事之意,这正是在这里终年不见湿云之故,夏天北平的大雨对于我也没有过坏的记忆,雨中郊外走路真个别有风趣,一下就下得那么大,城里马路岸上倒成了"河",雨过天青小孩们都在那里"淌河",也有虾蟆来叫一声两声了,——这样的偶叫几声,论情理应该使路旁我们江南之子起点寂寞,事实上却不然,不但虾蟆我们觉得它实在是喜欢,小孩们实在是喜欢,我也实在是喜欢了,记得小时我在家里每每喜欢偷偷的把和尚或道士法坛上的锣或鼓轻轻的敲打一下,声音一发作,我自己不亦乐乎又偷偷的跑了,和尚或道士,他们正在休息,似乎也乐得这个淘气的空气,并不以为怎么"犯法",这个淘气的空气很有点像我在北平看小孩们淌河,听蛙鼓一声两声。我想这未必关于个人的性情,倒很可以表现北平的空气。北平在无论什么场合,总不见得怎样伤人的心。我只记得在东城隆福寺或西城护国寺白塔寺庙会里看见两样人物有点难为情,其一是耍叉的,一位老汉,冬天里光着脊稜,一个人在高台上自己的买卖范围里大显其武艺,抛叉入云,却不能招拢一个顾客来,我很替他寂寞,但他也实在只引起幽默的空气,没有江湖气,不知何故。再有一男子一女子仿佛是两口子伸着脖子清唱的,男的每唱旦,女的每唱生,两人都不大有气力,男的瘦长,面色苍白,唱完之后每每骂人没有良心,说"我这也不容易嘞!"因为听唱的人走了不给钱。这两人留给我的印像算是最凄凉的,但我也实在没有理由去批评他们,虽然我心里有点责备而且同情于那位男子。总之北平总是近乎素朴这一方面。我还是来说我对于雨的空想。我如果不来北平住下十几年,一定不是现在这个雨之赞美者,自己也觉得很可笑。宋人词有句曰,"隔江人在雨声中。"这个诗境我很喜欢,但七个字要割去上面的两个字,"江"于我是没有一点感情的。"黄鹤楼上看翻船",虽然在那里住了六七个年头,扬子江我也不觉得它陈旧,也不觉得它新鲜,不能想到它。上面我说我是长江边生长大的,其实真是我的家乡仿佛与长江了无关系,十五岁从家里出来同长江初见面尚在江西省九江县,距家九十里,更小的时候除了小学地理课程外不知有大江东去也。我说"隔江人在雨声中"七个字我只取其五个,那两个字大概是以一把伞代替之,至于这个雨天在什么地方,大约就在北平西直门外三贝子花园随便一个桥上都可以罢。从前做诗的时候,曾有意捏造了一首诗,是从古人的心事里脱胎出来的,诗题曰"画",其词如左:

嫦娥说,
我未带粉黛上天,
我不能看见虹,
下雨我也不敢出去玩,
我倒喜欢雨天看世界,
当初我倒没有打把伞做月亮,
自在声音颜色中,
我催诗人画一幅画罢。

这总不外乎住在大平原的地方不云不雾天高月明因而害的

相思病,没有雨乃雨催诗,所谓"点点不离杨柳外,声声只在芭蕉里"是也。天下岂有这样一尘不染的东西么?因为雨相思,接着便有草相思,这真是一言难尽的,我还是引一首歪诗来潦草塞责,这首诗是最近在梦里头做的,我生平简直没有这个经验,这一回却有诗为证,因此也格外的佩服古槐居士的"梦遇",那天清早我一起来就把铅笔记录下来,曾念给槐居士听:

芳草无情底事愁　朝阳梦里泣牵牛
旧游不是长江水　独自藤花鹦鹉洲

事情是这样的,我梦见我到了鹦鹉洲,从前在武昌中学里念书的时候并没有去鹦鹉洲玩过,这回却到了鹦鹉洲,所谓鹦鹉洲者,便如诗里所记,别的什么东西都没有。后来我把这诗一看,便发现了破绽,看草色应该是春天的光景,然而花有牵牛,岂非秋朝么?我在南边似乎没有见过牵牛花,此花我看得最多又莫过北平香山一带,总而言之还是在沙漠上梦见江南草而已。我在北平郊外旷野上走路,总不觉得它单调,她只是令我想起江南草长。最近有一件不幸的事件发生,即是在知堂先生处得见《燕京岁时记》这一册书,书真是很可取,只是我读了一则起了另外一点心事,其记五月的石榴夹竹桃云:

"京师五月榴花正开,鲜明照眼,凡居人等往往与夹竹桃罗列中庭,以为清玩。榴竹之间,必以鱼缸配之,朱鱼数头,游泳其中,几于家家如此。故京师谚曰,天篷鱼缸石榴树。盖讥其同也。"

凡在"京师"住得久的人,我想都得欣赏"天篷鱼缸石榴树"

这七个字,把北平人家描写得恰好。此七个字一映入我的眼帘,我对于北平起了一个单调的感觉,但这七个字实在不能移易,大有爱莫能助之概。原来我爱北平的街上,(除了街上洋车拼命的跑)爱北平的乡下,爱北平人物,对于北平的人家,"几于家家如此",则颇有难言之感。我还想把北平街上我所心爱的人物说一点,这群人物平常不知道干什么,我也总没有遇见一个相识的,他们好像是理想中的人物,一旦谁家有喜事或有丧事的时候他们便梦也似的出现,都穿上了彩衣,各人手上都有一份执事,有时细看其中有一名就是我们世界一位要饭的老太太,难得她老人家乔妆而其实是本面也在这队伍里滥竽,我总不觉得他们也会同我们说话的,他们好像懒于言语,他们确是各人有各人的灵魂,其不识不知的样子之不同,各如其囚首垢面,他们若无其事的张目走路,正如若无其事的走路打瞌睡,他们大约只贪赌博,贪睡觉,在没有走上十字街头以前,还在红白喜事人家的门墙之外的时候,他们便一群一群的作牧猪奴戏,或者好容易得到一块地盘露天之下一躺躺一个黑甜,不知从那里得了一道命令忽然大家都翻起身来干正经的去了,各人有各人一份执事,作棺材之先行,替新姑娘拿彩仗。我的话一定有人不相信的,其实情形确是如此,我知道这些市民都是无产阶级,我由这些人又幻想"梁上君子",——这是说我有点思慕他们,他们决不会到我家里来,而我又明白他们的身分,故我思慕此辈为君子,一定态度很好。十年以前我同一位北大同学谈到北平杠房的人物,他对于我的话颇有同感,他另外还告诉我一件有趣的事情,我曾记录下来作了一点小说材料,他说他有一回在北大一院门口看见人家出殡,十六人抬一棺材,其中有一人一样的负重举步,而肩摩踵接之不暇他却在那里打瞌睡。敢情北京人是真个有闲。匆匆不多写。

废名,五月四日于北平北河沿。

致廖秩道(二通)①

一②

壮翁校长赐鉴：

敬启者，舍侄奇男系县中学第九班毕业，毕业证书尚未发下。此次在武昌升学，虽以临时证明书觅人托教厅投考，考取之后仍必要县中学另为证明毕业方能入学。原有之临时证明书无效。乞
赐证明为荷。耑此，顺颂
时祺

冯文炳　上　九月二十二日

二③

壮翁校长：

学生岳剑南申请书一纸，并证件三件，谨代转上。

----

① 手稿，原件现藏湖北省黄梅县档案馆。第1通标点符号系本书编者所加。
② 此信作于1946年。
③ 此信作于1946年。

匆匆不一,顺颂

时祺

冯文炳　十月一日

致张中行（三通）①

一②

鄙意办杂志贵有同宗旨的人自动出力，认为是一种使命，若拉稿则无何意义，亦不能长久，等于多此一举矣。今日之办杂志应等于昔日之讲学，要有一种划时代的精神，……佛教永远是一种新精神，所以为僧者在今日亦应有新人物，能知道科学与哲学到底是什么一回事，而佛教又到底是什么一回事，然后能将死生大事用常识说得清楚，而宗教并不是迷信，正是理智，此则为今日的和尚，我甚敬僧，思有此人也。

二③

中行兄：

手书读悉。承小朋友约小朋友过年，小朋友云过年不来，来

---

① 第1通系残简，见张中行《编辑室杂记》（1947年8月15日北平《世间解》月刊第2期）；第2通、第3通系手稿，原件现藏张中行后人处。
② 此信作于1947年7月底或8月初，时废名在湖北黄梅。
③ 此信作于1948年。

拜年也。专此
拜年

　　　　　　　　　　　废名　二月九日

三①

中行兄

　前晤兄时云《世间解》将出十二期,嘱写文一篇,顷已写就,何日兄来面奉也。匆匆顺颂
近安

　　　　　　　　　　　废名　十一,十五。

---

① 此信作于1948年。

致李奕(一通)①

李奕先生：

关于杜甫的《闻官军收河南河北》第五句第二个字，仇兆鳌注本是"首"字(它也注了"亦作'日'")，故我从之。鄙意"白首放歌须纵酒，青春作伴好还乡"似比"白日放歌须纵酒，青春作伴好还乡"来得具体些，因为这首诗通首是实写，没有虚写的句子，"白首放歌须纵酒"就是杜甫自己说他以一个白头老人(杜甫在这时写的诗一面说"黄花酒"一面就说"白发翁"，他是"白首"，是无问题的。)这一天喜不过，放歌而且应该纵酒；"青春作伴好还乡"是说这一年春天(广德元年春天，来信误写作"宝应二年")他好不容易可以还乡了。若为"白日放歌须纵酒，青春作伴好还乡"便容易看作是虚写，至少"白日放歌须纵酒"这一句近乎一般化。不知尊意以为何如？

冯文炳　61年12月6日

---

① 载《长春》月刊1962年2月1日2月号，与浙江丽水碧湖中学李奕1961年10月5日来信合题为"书信往来"。

致湖北省黄梅县民政局(一通)①

黄梅县民政局：

八月二十八日来信收到了。去年四月三日县人委信也收到了。我校党委也转知了我。兹将我写的《冯文华烈士传略》寄上，不知合用与否，请编委会决定。去年我就准备写，思考了好些日子，因知道的究不多，终于未敢下笔。今天是国庆十五周年的前一日，总算是努力写了这一篇。奇男整理的一篇附还。另外，八月二十八日来信所述黎翔凤同志"我县孔垅有位叫费觉天的烈士，大概与李大钊烈士同时被张作霖杀害"的话，恐不确，在我的记忆里没有这件事。其他的情况我不知道。谨复。

　　此致
敬礼

冯文炳
1964，9，30。

---

① 手稿，原件现藏湖北省黄梅县民政局冯文华烈士档案内。

废名年谱简编

沈瑞欣　孟庆奇　编著
陈建军　审订

编写说明

一、本谱记述废名生平主要事迹。

二、本谱采用公历纪年,谱主年龄按虚岁计算。

三、谱文按年、月、日先后次序编排。凡知年、月而无日可考者,系于本月之末,条目前标月份;月份不详者,考订到季;年份明确而无月、季可据者,系于本年之末,条目前标"本年"。同一日期若涉及多条事项,首条前标明月日,其他条目前标"同日"。

四、谱主已刊作品,均详细著录发表、出版、收集、题名更易、署名等信息;未刊手稿,交代来源或现藏何处。

五、关于谱主的生平事迹或与其有密切关系的事件以及所有引文,尽量采用夹注形式交代具体出处,并以小一号字标示。同一文献若多次引用,首次引用者详注,其余则简注。

1901年(清光绪二十七年　辛丑)　1岁
11月9日(农历辛丑年九月二十九日卯时)

　　生于湖北省黄梅县县城东门一小康大家庭。原名勋北,字焱明,号蕴仲,学名冯文炳,乳名焱儿。笔名蕴是、废名、春风、病火、丁武、惠敏、非命、法、补白子等。其祖籍地在黄梅县苦竹乡后山铺附近之冯家大墩。祖父冯汝顺,为制作竹器的手工业者。两叔父都经商,一开南货店,一开布店。父亲冯楚池,生于清同治八年(1869年)己巳二月初七日,读书人出身,以教书为业,曾任县劝学所视学。母亲岳氏,生于清同治七年(1868年)戊辰十二月二十四日,为县城小南门外岳家湾农家女,品行贤淑,后皈依佛门,法名还春,修持甚谨,殁于民国二十六年(1937年)丁丑九月二十三日。废名兄弟姐妹六人,姐冯玉娥远嫁,妹阿莲早夭,大哥冯玉鲤幼亡。其他三人均毕业于湖北省立第一师范学校,先后在武汉任小学教员。二哥冯文清,又名力生,一生从事教育工作,为本县本省知名教育家,曾任省立第四小学校长,参与创办武昌艺术专科学校,并任校董、校长;抗日战争期间回黄梅避难,任县中心小学校长、县中学校长等;战后,就职于考试院湖北湖南考铨处;后一度在湖北黄冈师范学校任职;退休后,定居武昌,1972年逝世。弟冯文玉,又名经平,于1935年在汉口第一小学教师任上病逝。

1906年(清光绪三十二年　丙午)　6岁
本年

　　入县城大南门内都天庙私塾,从师读《三字经》《百家姓》《四书《诗经》等。封建书塾生活，几乎与世隔绝，使他感到"乌烟瘴气"。

患瘰疬病（淋巴腺结核病），不久辍学。

1907年（清光绪三十三年　丁未）　7岁

本年

辍学，治病。

一位本家婶母住在城门外，常去她家玩耍。外家在岳家湾，距城二里。外家富有，且自然环境优美。婶母和外祖母对其影响很大。

一次，外祖母、母亲和姐姐带他去五祖寺进香，给他留下深刻印象。

黄梅县素有"禅宗圣地"之称，境内有四祖寺和五祖寺两大名寺。五祖寺（又名东山寺）坐落在县城北16公里的东山（又名冯墓山，一说冯茂山）。在唐朝咸亨年间（670—674年）由禅宗五祖"大满禅师"弘忍创建。四祖寺坐落在县城西15公里的西山（又名破额山、破头山），山势回抱，双峰耸立，故又称双峰山，寺因之称为"双峰寺"。始建于唐高祖武德七年（624年），为禅宗四祖"大医禅师"道信的道场，故后改名"四祖寺"。两大名寺，既是佛教圣地，又是优美的风景胜地。唐代著名诗人白居易游览五祖寺，曾留下诗句："直上青霄望八都，白云影里月轮孤；茫茫宇宙人无数，几个男儿是丈夫？"（《东山寺》）唐朝诗人张祜游西山时写过一首《峰顶寺》："月明如水山头寺，仰面看天石上行。夜静深廊人语定，一枝松动鹤来声。"黄梅的佛禅文化和自然环境，对废名日后的思想和文学创作都产生了极其深远的影响。

1908年(清光绪三十四年 戊申) 8岁

本年

病愈,复入都天庙私塾读书。

冯家日渐殷实,购置田产,在城关小南门内盖了一幢新屋。新屋是在二叔父冯毓泉主持下盖的。建好后,二叔父一家仍住在老屋,新屋则让冯楚池及三叔父冯灼元两家住。关于搬家情形,废名在其自传性短篇小说《我的邻舍》中有记载。

1911年(清宣统三年 辛亥) 11岁

10月10日

辛亥革命爆发。

1912年(民国元年 壬子) 12岁

6月30日

小妹阿莲出生。1919年因患肺病夭折。短篇小说《阿妹》,即以其为原型。

1913年(民国二年 癸丑) 13岁

本年

父亲要他当学徒,将来经商,自谋生路,他不听从。父亲无奈,只得送他入黄梅县八角亭(即文昌阁)第一高等小学堂读书。

1916年(民国五年　丙辰)　16岁

3月

考入湖北省立第一师范学校预科,所学课程有修身、国文、数学、习字、历史、地理、英语、国画、乐歌、体操等。

开始接触新文学,觉得新诗很新鲜,想把毕生精力放在文学事业上面。

1919年(民国八年　己未)　19岁

5月4日

五四运动爆发。

本年

继续在湖北省立第一师范学校读书。受反帝反封建爱国运动和新文化思潮的影响,经常阅读《新青年》等进步刊物,接触科学与民主思想,关心当时的革命和文学运动。

1921年(民国十年　辛酉)　21岁

2月

以四学年总平均分数87分且名列全班第四的"甲等"成绩,从湖北省立第一师范学校毕业,到武昌模范小学,与二哥冯力生同校执教,业余时间学习写作白话诗文。

11月10日

周作人得"武昌冯君稿一本"(《周作人日记》中册,大象出版社1996年版,第206页。后文仅著录书名、册数、页码)。这是废名与周作人交往的最早记载。

11月28日

周作人得"武昌冯君函"(《周作人日记》中册,第209页)。

12月8日

周作人寄"武昌冯君函"(《周作人日记》中册,第210页)。

12月16日

周作人"得武昌冯君函"(《周作人日记》中册,第211页)。

本年

与其二舅之女岳瑞仁(1900—1978年)结婚。

1922年(民国十一年 壬戌) 22岁

3月7日

周作人得"冯文炳君函"(《周作人日记》中册,第230页)。

5月25日

周作人"得武昌冯君函"(《周作人日记》中册,第240页)。

7月13日

周作人"得冯文炳君函"(《周作人日记》中册,第247页)。

7月

考上北京大学预科(《国立北京大学布告》,《北京大学日刊》1922年8月5日第1067号)。

9月9日

周作人得"文炳函"(《周作人日记》中册,第256页)。

9月10日

周作人寄"文炳函"(《周作人日记》中册,第256页)。

9月11日

　　致胡适信,署名冯文炳。内附新诗《小雀》《小猫》《冬晚》《算命的瞎子》《小孩》《夏日下乡途中所见》《夏夜》《京寓杂感》《追记去年在县城经过牢狱所感》《小孩》《美丽的小姑娘》《风暴的晚上》和《〈努力〉》等13首,诗前有"诗　以做的先后为序"(原件藏中国社会科学院中国历史研究院图书档案馆胡适档案内)。其中,《冬晚》仅存题目,正文被撕去;第一首《小孩》有改动,疑出自胡适手笔;第二首《小孩》前半截被撕去,后半截作为《杂诗》之"六"后半部分,载上海《诗》月刊1923年4月15日第2卷第1号,署名冯文炳;《美丽的小姑娘》作为《杂诗》之"七",载上海《诗》月刊1923年4月15日第2卷第1号,署名冯文炳。被撕去的《冬晚》和《小孩》前半截,或即刊于北京《努力周报》1922年10月8日第23期之《冬夜》和《小孩》。

10月1日

　　作短篇小说《长日》,载北京《努力周报》1922年10月29日第26期,署名冯文炳。

10月8日

　　发表诗《冬夜》,载北京《努力周报》第23期,署名冯文炳。这是迄今为止所见其发表在报刊上最早的作品。

同日

　　发表诗《小孩》,载北京《努力周报》第23期,署名冯文炳。又载上海《诗》月刊1923年4月15日第2卷第1号,署名冯文炳。

11月2日

　　致胡适信,署名冯文炳。后附"小诗四首"(原件藏中国社会科学院中国历史研究院图书档案馆胡适档案内)。除其"一"外,另外三首均载上海《诗》月刊1923年4月15日第2卷第1号,署名冯文炳。

1923年(民国十二年 癸亥) 23岁

1月10日

发表短篇小说《一封信》,载北京《小说月报》第14卷第1号,署名蕴是。

1月27日

作短篇小说《讲究的信封》,载北京《努力周报》1923年3月18日第44期,署名冯文炳。又载上海《青年友》月刊1923年5月第3卷第5期,题下标"(写实小说)",署名冯文炳,文末有编者按。收入短篇小说集《竹林的故事》。

3月24日

作短篇小说《我的心》,载北京《努力周报》1923年4月1日第46期,署名冯文炳。

4月15日

发表《杂诗》(共7首),载上海《诗》月刊第2卷第1号,署名冯文炳。

4月22日

作短篇小说《柚子》,载北京《努力周报》1923年7月1日、8日第59期、第60期,署名冯文炳。收入短篇小说集《竹林的故事》。

5月15日

发表诗《洋车夫的儿子》,载上海《诗》月刊第2卷第2号,署名冯文炳。

同日

发表诗《磨面的儿子》，载上海《诗》月刊第 2 卷第 2 号，署名冯文炳。

同日

发表《杂诗》（共 2 首），载上海《诗》月刊第 2 卷第 2 号，署名冯文炳。

6 月 26 日

周作人得"冯文炳君函"（《周作人日记》中册，第 314 页）。

7 月 18 日

作短篇小说《病人》，载北京《努力周报》1923 年 9 月 23 日第 71 期，署名冯文炳。收入短篇小说集《竹林的故事》。

8 月 12 日

发表短篇小说《少年阮仁的失踪》，载北京《努力周报》第 65 期，署名冯文炳。收入短篇小说集《竹林的故事》。

8 月 29 日

作短篇小说《浣衣母》，载北京《努力周报》1923 年 10 月 7 日第 73 期，署名冯文炳。收入短篇小说集《竹林的故事》。三联出版社曾以《浣衣母》为书名，收鲁迅、废名、蹇先艾、俞平伯等 15 位现代作家的短篇小说 30 篇，废名被排在第一位。除《浣衣母》外，集中还收有其短篇小说《竹林的故事》和《河上柳》。出版时间不详。

暑期

参加"浅草社"在北京中央公园举行的茶话会。

9月3日

周作人得"冯文炳君函"(《周作人日记》中册,第324页)。

9月7日

第一次赴八道湾拜访周作人(《周作人日记》中册,第325页)。时鲁迅已于8月迁居砖塔胡同61号。

9月10日

作短篇小说《半年》,载北京《努力周报》1923年10月21日第75期,署名冯文炳。收入短篇小说集《竹林的故事》。

9月11日

周作人得"文炳"函(《周作人日记》中册,第326页)。

9月12日

作杂感《现代日本小说集》,载北京《晨报副镌》1923年9月15日第235号,署名冯文炳。《现代日本小说集》,鲁迅、周作人译,胡适校,上海商务印书馆1923年6月初版。

9月17日

作散文《寄友人J.T.》,载上海《浅草》季刊1923年12月第1卷第3期,署名冯文炳。

9月20日

周作人"寄还文炳"稿件(《周作人日记》中册,第327页)。

9月25日

发表诗《夏晚》,载上海《民国日报》附刊《文艺旬刊》第9期,署名冯文炳。

10月22日

周作人"寄文炳"函(《周作人日记》中册,第333页)。

10月28日至11月25日

昏迷所译废名短篇小说《柚子》,载北京日文期刊《北京周报》第86期至第90期。

12月7日

作短篇小说《我的邻舍》。收入短篇小说集《竹林的故事》。

12月10日

作短篇小说《初恋》,载北京《现代评论》周刊1925年4月4日第1卷第17期,署名冯文炳。收入短篇小说集《竹林的故事》。

12月18日

短篇小说《阿妹》脱稿。收入短篇小说集《竹林的故事》。

12月28日

短篇小说《火神庙的和尚》脱稿,载北京《语丝》周刊1925年3月16日第18期,目录署名文炳,正文署名冯文炳。收入短篇小说集《竹林的故事》。

本年

发表散文《西铭民胞物与论》,载邹登泰评选、苏州振新书社1923年版《全国学校文府》卷四,署"湖北省立第一师范本科三年级冯文炳"。

1924年(民国十三年 甲子) 24岁

1月7日

致胡适信,署名冯文炳(原件藏中国社会科学院中国历史研究院图书档案馆胡适档案内)。

同日

　　胡适得废名信(《胡适日记(4)》,安徽教育出版社 2001 年 10 月版,第 157 页)。

1月20日

　　上午携"小说集"访周作人(《周作人日记》中册,第 368 页)。

3月9日

　　上午访周作人(《周作人日记》中册,第 375 页)。

4月9日

　　作杂感《"呐喊"》,载北京《晨报副镌》1924 年 4 月 13 日第 81 号,署名冯文炳。

5月13日

　　致周作人信,署名冯文炳(原件藏周作人后人处)。

5月25日

　　上午访周作人,并借书一册(《周作人日记》中册,第 386 页)。

6月29日

　　上午访周作人,并借书两本(《周作人日记》中册,第 391 页)。

9月

　　作短篇小说《鹧鸪》,载北京《现代评论》周刊 1925 年 2 月 14 日第 1 卷第 10 期,署名冯文炳。收入短篇小说集《竹林的故事》。

9月

　　北京大学预科毕业,正式升入北大英国文学系。

10月

　　作短篇小说《竹林的故事》,载北京《语丝》周刊 1925 年 2 月

16日第14期,署名冯文炳。收入短篇小说集《竹林的故事》。

11月4日

致周作人信,署名文炳(原件藏周作人后人处)。

11月17日

致周作人信,署名文炳(原件藏周作人后人处)。

11月30日

下午访周作人(《周作人日记》中册,第411页)。

12月6日

致周作人信,署名文炳(原件藏周作人后人处)。

12月中旬

致周作人信,署名文炳(原件藏周作人后人处)。

1925年(民国十四年 乙丑) 25岁

1月17日

作短篇小说《竹林的故事》赘语,载北京《语丝》周刊1925年2月16日第14期,署名冯文炳。

同日

致周作人信,署名文炳(原件藏周作人后人处)。

2月15日

往阜成门内西三条胡同访鲁迅,未遇,"置所赠《现代评论》及《语丝》去"(《鲁迅全集》第15卷,人民文学出版社2005年11月版,第552页。后文仅著录书名、卷数、页码)。

3月6日

作短篇小说《火神庙的和尚》附记,载北京《语丝》周刊1925

年 3 月 16 日第 18 期,署名冯文炳。

3 月 9 日

作《竹林的故事》序,署名冯文炳。收入短篇小说集《竹林的故事》。

3 月 20 日

致徐炳昶(旭生)信。后与徐炳昶 3 月 24 日复信同载北京《猛进》周刊 1925 年 3 月 27 日第 4 期"通讯"栏,署名冯文炳。

3 月 29 日

上午访周作人(《周作人日记》中册,第 435 页)。

4 月 2 日

访鲁迅(《鲁迅全集》第 15 卷,第 559 页)。

4 月 23 日

作短篇小说《河上柳》,载北京《莽原》周刊 1925 年 5 月 8 日第 3 期,目录页署名文炳,正文署名冯文炳。收入短篇小说集《竹林的故事》。

4 月 24 日

《莽原》周刊创刊,1926 年 1 月后改为半月刊,1928 年 1 月 10 日起改为《未名》半月刊。对《莽原》周刊,鲁迅在《〈中国新文学大系〉小说二集序》中说"声援的很不少,在小说方面,有文炳,沅君,雾野,静农,小酪,青雨等"(《鲁迅全集》第 6 卷,第 258 页)。

5 月 4 日

致周作人信,署名文炳(原件藏周作人后人处)。

5 月 24 日

上午访周作人(《周作人日记》中册,第 443 页)。

6月12日

补作《竹林的故事》序,署名冯文炳。收入短篇小说集《竹林的故事》。

本月

作短篇小说《去乡——S的遗稿——》,载北京《语丝》周刊1925年8月3日第38期,署名冯文炳。收入短篇小说集《竹林的故事》。

8月27日

上午访周作人,"赠山茶一合"(《周作人日记》中册,第454页)。

9月14日

上午访周作人(《周作人日记》中册,第457页)。

9月17日

鲁迅得废名信(《鲁迅全集》第15卷,第583页)。

9月29日

周作人"下午为冯文炳君作序"(《周作人日记》中册,第459页)。

10月17日

作短篇小说《花炮》前记,载北京《语丝》周刊1925年10月26日第50期,署名冯文炳。

10月26日

发表短篇小说《花炮》之"一　放牛的孩子",载北京《语丝》周刊第50期,署名冯文炳。

10月

短篇小说集《竹林的故事》作为"新潮社文艺丛书之九"由北京新潮社出版,署名冯文炳。内收短篇小说14篇。其中,《我的邻舍》《阿妹》未单独发表。书末附自译法国诗人波特莱尔散文诗《窗》(选自波特莱尔散文诗集《巴黎的忧郁》),未列入目录。后北新书局再版时,移至卷首,仍未列入目录。

目录:《周序》(正文题为《竹林的故事序》);《自序》(正文题为《序》);《讲究的信封》《柚子》《少年阮仁的失踪》《病人》《浣衣母》《半年》《我的邻舍》《初恋》《阿妹》《火神庙的和尚》《鹧鸪》《竹林的故事》《河上柳》《去乡》。

11月7日

致周作人信,署名文炳(原件藏周作人后人处)。

11月9日

发表短篇小说《花炮》之"二　幽会""三　诗人",载北京《语丝》周刊第52期,题为"花爆",署名冯文炳。

11月16日

发表短篇小说《妓馆(花炮之四)》,载北京《语丝》周刊第53期,署名冯文炳。

11月23日

《语丝》第54期刊登短篇小说集《竹林的故事》出版广告:"这是冯文炳先生的短篇小说集,现已出版。冯先生说:'这是我的悲哀的玩具,而他又给了我不可名状的欢喜。'现在想将这欢喜分给他的读者。定价五角。"

11月

开始创作长篇小说《无题》(后改题为《桥》)。

12月13日

下午访周作人(《周作人日记》中册,第468页)。

12 月 14 日

发表杂感《从牙齿念到胡须》,载北京《京报副刊》第 357 号,署名冯文炳。

12 月 15 日

发表杂感《忙里写几句》,载北京《京报副刊》第 358 号,署名冯文炳。

12 月 19 日

作《小诗》补记,载北京《语丝》周刊 1926 年 1 月 11 日第 61 期,署名冯文炳。

12 月 22 日

午后访鲁迅,未遇(《鲁迅全集》第 15 卷,第 596 页)。

12 月 26 日

致鲁迅信,署名冯文炳。内附手稿《也来"闲话"》,署名春风。未发表(原件藏北京鲁迅博物馆)。

12 月 28 日

发表杂感《"偏见"》,载北京《京报副刊》第 370 号,署名冯文炳。

12 月 31 日

发表杂感《作战》,载北京《京报副刊》第 373 号,署名冯文炳。

同日

发表杂感《"公理"》,载北京《京报副刊》第 373 号,署名冯文炳。

1926年(民国十五年 丙寅) 26岁

1月11日

发表《小诗》(共2首),诗前有1925年12月19日所作"补记",载北京《语丝》周刊第61期,署名冯文炳。

1月31日

作《给陈通伯先生的一封信》,载北京《京报副刊》1926年2月2日第403号,署名冯文炳。

2月4日

下午访周作人(《周作人日记》中册,第476页)。

3月7日

作《无题》前记,载北京《语丝》周刊1926年4月5日第73期,署名废名。

3月18日

爆发震惊中外的"三一八"惨案。

3月19日

作杂感《狗记者》,载北京《京报副刊》3月21日第445号,署名冯文炳。此文和不久后发表的《俄款与国立九校》《共产党的光荣》,言辞激越,政治倾向性强,在废名的文章中实不多见。

3月21日

下午访鲁迅(《鲁迅全集》第15卷,第613页)。

3月24日

发表杂感《俄款与国立九校》,载北京《京报副刊》第448号,署名冯文炳。

同日

发表杂感《共产党的光荣》,载北京《京报副刊》第448号,列为"大屠杀后的种种呼声"之第一则,题为"一,共产党的光荣。",署名冯文炳。

3月30日

作《给岂明先生的信》,载北京《京报副刊》1926年4月1日第456号,署名冯文炳。

4月5日

发表长篇小说《无题》(共3章),正文前有1926年3月7日所作"前记",载北京《语丝》周刊第73期,署名冯文炳。又载北平《骆驼草》周刊1930年8月18日第15期,题为"万寿宫""闹学""芭茅",署名废名。收入单行本《桥》,即上篇《八　万寿宫》《九　闹学》《十　芭茅》。

4月8日

致岂明(周作人)信,载北京《语丝》周刊1926年4月26日第76期,署名冯文炳。

4月11日

访周作人,并借日文书三本(《周作人日记》中册,第486页)。

4月21日

发表杂感《就算是搭题》,载北京《京报副刊》第474号,署名冯文炳。

4月26日

发表长篇小说《无题之二》,正文前有"前记",正文后附4月8日致周作人信,载北京《语丝》周刊第76期,署名冯文炳。又载北平《骆驼草》周刊1930年8月18日第15期,题为"狮子的影子",署名废名。收入单行本《桥》,即上篇《一一 狮子的影子》。

5月23日

下午访周作人(《周作人日记》中册,第492页)。

5月30日

访鲁迅,鲁迅赠《往星中》一本(《鲁迅全集》第15卷,第621—622页)。《往星中》是俄国作家安特列夫的四幕剧本,由李霁野翻译,列为"未名丛刊"之一种。

同日

鲁迅"得冯文炳信"(《鲁迅全集》第15卷,第621页)。

6月1日

开始记日记,不过未能坚持下去。

6月9日

起笔名"废名"。

6月11日

读鲁迅《马上支日记》后作日记一则,载北京《语丝》周刊1927年4月23日第128期。

7月26日

发表长篇小说《无题之三》("1.此章可题曰夏晚""2.此章就题之曰夜罢"),载北京《语丝》周刊第89期,首次署名废名。又载北平《骆驼草》周刊1930年8月11日、1930年9月8日第14期、第18期,题为"洲""花",署名废名。收入单行本《桥》,即上篇《六 洲》《一五 花》。

8月8日

鲁迅在致韦素园信中说:"《关于鲁迅……》须送冯文炳君二本(内有他的文字),希即令人送去。但他的住址,我不大记得清楚,大概是北大东斋,否则,是西斋也。"(《鲁迅全集》第11卷,第538页)《关于鲁迅及其著作》,台静农主编,未名社印行,内有废名《"呐喊"》。

8月23日

发表长篇小说《无题之四》,正文后有"附记",载北京《语丝》周刊第93期,署名废名。又载北平《骆驼草》周刊1930年9月15日第19期,题为"碑",署名废名。收入单行本《桥》,即上篇《一八　碑》。

8月26日

下午访周作人(《周作人日记》中册,第507页)。

9月25日

发表长篇小说《无题之五》(共2章),正文后有"附记",载北京《语丝》周刊第98期,署名废名。又载北平《骆驼草》周刊1930年8月25日第16期,题为"'送牛'""'松树脚下'",署名废名。收入单行本《桥》,即上篇《一二　"送牛"》《一三　"松树脚下"》。

9月26日

晚访周作人(《周作人日记》中册,第511页)。

10月30日

下午访周作人,4时半离去。徐祖正在座(《周作人日记》中册,第515页)。

11月13日

发表长篇小说《无题之六》(共2章),正文后有"附记",载北京《语丝》周刊第105期,署名废名。又载北平《骆驼草》周刊1930年9月1日、1930年9月8日第17期、第18期,题为"习字""'送路灯'",署名废名。收入单行本《桥》,即上篇第《一四 习字》《一六 "送路灯"》。

1927年(民国十六年 丁卯) 27岁

1月10日

鲁迅杂文集《坟》即将出版(本年3月,由北京未名社出版),鲁迅致信韦素园,列有一份送书名单,"冯文炳"也在其中。另有张凤举、徐祖正、刘半农、常维钧、马珏、陈炜谟、冯至7人(《鲁迅全集》第12卷,第9页)。

2月26日

作短篇小说《胡子》,载北京《语丝》周刊1927年3月5日第121期,署名废名。

3月8日

作短篇小说《张先生与张太太》,载北京《语丝》周刊1927年3月25日第124期,署名废名。收入短篇小说集《桃园》。

3月12日

发表长篇小说《无题之七》,载北京《语丝》周刊第122期,署名废名。收入单行本《桥》,即下篇《三 灯》。

3月16日

作短篇小说《石勒的杀人》,载北京《语丝》周刊1927年4月

1日第125期,署名废名。收入短篇小说集《桃园》。

3月

作短篇小说《追悼会》,正文后有附记,载北京《语丝》周刊1927年5月7日第130期,署名病火。"病火"当由"炳"字拆变而来,有"缺火"之义。收入短篇小说集《桃园》。

4月1日

作短篇小说《文学者》,载北京《语丝》周刊1927年4月16日第127期,署名废名。收入短篇小说集《桃园》。

4月9日

发表长篇小说《无题之八》(共2章),载北京《语丝》周刊第126期,署名废名。收入单行本《桥》,即下篇《四　日记》《五棕榈》。

4月10日

作短篇小说《是小说》,载北京《语丝》周刊1927年4月16日第127期,署名病火。收入短篇小说集《桃园》,改题名为《审判》。

同日

作短篇小说《一段记载》,载北京《语丝》周刊1927年4月23日第128期,署名废名。收入短篇小说集《桃园》。

4月12日

作《忘记了的日记》前记,载北京《语丝》周刊1927年4月23日第128期,署名废名。

4月20日

作《追悼会》附记,载北京《语丝》周刊1927年5月7日第

130期,署名病火。

4月23日

发表日记《忘记了的日记》,正文前有4月12日所作"前记",载北京《语丝》周刊第128期,署名废名。从1926年6月1日至6月14日,写了10余天的日记,共19则。其中1926年6月1日2则,6月3日1则,6月4日2则,6月10日4则,6月11日2则(誊写时有"附记"),6月12日3则,6月14日5则。

同日

作短篇小说《浪子的笔记》,载北京《语丝》周刊1927年4月30日第129期,署名废名。收入短篇小说集《桃园》。

同日

在《语丝》周刊编辑室翻看志僡《寂寞扎记》,并作附记,载北京《语丝》周刊1927年4月30日第129期。

5月7日

发表长篇小说《沙滩上(无题之九)》,载北京《语丝》周刊第130期,署名废名。收入单行本《桥》,即下篇《六 沙滩》。

5月11日

作《无题之十一》前记,载北京《语丝》周刊1927年5月21日第132期,署名废名。

5月14日

发表长篇小说《杨柳(无题之十)》,载北京《语丝》周刊第131期,署名废名。收入单行本《桥》,即下篇《七 杨柳》。

5月19日

作散文《说梦》,载北京《语丝》周刊1927年5月28日第133

期,署名废名。

5月21日

发表长篇小说《无题之十一》,正文前有5月11日所作"前记",正文后有"附记",载北京《语丝》周刊第132期,署名废名。收入单行本《桥》,即下篇《一 "第一的哭处"》《二 "且听下回分解"》。

5月31日

致周作人信,署名炳(原件藏周作人后人处)。

6月4日

发表译文《"William Shakespeare"的卷首》(原著者G. Brandes),载北京《语丝》周刊第134期,署名废名。

同日

发表长篇小说《无题之十二》,正文前有"前记",载北京《语丝》周刊第134期,署名废名。又载北平《骆驼草》周刊1930年8月11日第14期,题为"井",署名废名。收入单行本《桥》,即上篇《四 井》。

6月10日

作短篇小说《晌午》,载北京《语丝》周刊1927年6月18日第136期,署名废名。收入短篇小说集《桃园》。

6月11日

发表译文《Balzac的一叶》,载北京《语丝》周刊第135期,署名废名。此文系节译自勃兰兑斯《十九世纪文学主流》第5卷中关于巴尔扎克之论述的第一篇。

6月18日

发表长篇小说《无题之十三》,正文前有"前记",载北京《语丝》周刊第136期,署名废名。又载北平《骆驼草》周刊1930年9月15日第19期,题为"瞳人",署名废名。收入单行本《桥》,即上篇《一七 瞳人》。

7月31日

北平《晨报·星期画报》刊齐白石为废名所刻朱文印章。

7月

奉系军阀张作霖入京后,下令将北京大学、北京师范大学等9所院校合并为"京师大学校",引起北大师生和社会各界的反对。废名愤而退学。周作人被解聘,受军阀迫害,后与刘半农避难菜厂胡同一日本友人家中,废名经常为他传递物件和消息。

8月1日

致周作人信,署名炳(原件藏周作人后人处)。

9月12日

寄居周作人家。

9月22日

作短篇小说《桃园》,载北京《古城》周刊1927年11月27日第1卷第11期,署名废名。又载北京《小说月报》1928年1月10日第19卷第1号,署名废名。收入短篇小说集《桃园》。

9月

短篇小说集《竹林的故事》,由北新书局再版,署名废名。

10月1日

发表随感录《死者马良材》,载北京《语丝》周刊第151期,署名废名。

10月18日

作短篇小说《菱荡》,载上海《北新》半月刊1928年2月16日第2卷第8号,原刊目录署名冯文炳,正文署名废名。收入短篇小说集《桃园》。

11月10日

作短篇小说《小五放牛》,载北京《小说月报》1928年2月10日第19卷第2期,署名废名。收入短篇小说集《枣》。

11月24日

卜居西山。先住在玉泉山东边的四棵槐树,不久搬到香山与卧佛寺之间的北营。两处住的时间都比较短。后迁居西郊门头村正黄旗14号(今属萧家河)。废名常在此过冬,夏天每每因事进住城内,如此长达5年之久,故将其住所取名为"常出屋斋",并请沈尹默题字。这一时期的生活经历对他创作长篇小说《莫须有先生传》影响很大。

1928年(民国十七年 戊辰) 28岁

2月21日

作《未完》附记,载上海《语丝》周刊4月9日第4卷第15期,署名废名。

2月27日

发表长篇小说《无题之十四》(共2章),载上海《语丝》周刊第4卷第9期,署名废名。收入单行本《桥》,即下篇《八 黄昏》《九 灯笼》。

2月

短篇小说集《桃园》,由北京古城书社印行,署名废名。内收小说10篇。

目录:《张先生与张太太》《文学者》《晌午》《石勒的杀人》《追悼会》《审判》《浪子的笔记》《一段记载》《桃园》《菱荡》。

2月

在周作人帮助下,住进章矛尘(川岛)的两间小屋(章矛尘夫妇避难南下)。在西直门外孔德中学教国文,与该校图书管理员程鹤西(侃声)结识。此时,与其同乡熊十力交往密切。

3月5日

发表长篇小说《无题之十五》,载上海《语丝》周刊第4卷第10期,署名废名。收入单行本《桥》,即下篇《十　清明》。

3月19日

发表长篇小说《上花红山(一)(无题之十六)》,载上海《语丝》周刊第4卷第12期,署名废名。收入单行本《桥》,即下篇《一一　路上》。

4月9日

发表短篇小说《未完》,正文后有1928年2月21日所作附记,载上海《语丝》周刊1928年4月9日第4卷第15期,署名废名。收入短篇小说集《枣》。

5月7日

发表长篇小说《上花红山(二)(三)(无题之十七)》,载上海《语丝》周刊第4卷第19期,署名废名。收入单行本《桥》,即下篇《一二　茶铺》《一三　花红山》。

7月5日

　　致周作人信,署名炳(原件藏周作人后人处)。

8月11日

　　在《竹林的故事》初版自留本《周序》文末空白处写了一段"著者附记",后又涂掉。

8月15日

　　周作人致信俞平伯,谓:"废名君现仍在八道湾,因为他忽然又决心不南旋了,仍有上西山去修道之意,大约北新老板如肯给他寄一点钱来,就将入山去矣。"(《周作人致俞平伯(1928年8月15日)》,《新文学史料》1995年第1期)

8月下旬

　　返西山卜居。

8月26日

　　周作人携家人来访。

9月5日

　　周作人致废名信(《周作人书信》,青光书局1933年7月版,第211页。后文仅著录书名、页码)。

10月19日

　　俞平伯致废名信,托周作人转寄(孙玉蓉:《俞平伯年谱》,天津人民出版社2001年版,第111页。后文仅著录书名、页码)。

10月20日

　　周作人致废名信(《周作人书信》,第212页)。

10月31日

　　作短篇小说《毛儿的爸爸》,载上海《北新》半月刊1929年1

月1日第3卷第1号,署名废名。收入短篇小说集《枣》。

10月

短篇小说集《桃园》由上海开明书店再版,署名废名。书末有岂明(周作人)《桃园跋》(据手迹影印),目录为《跋(周作人先生)》。

11月8日

作短篇小说《卜居》,载上海《语丝》周刊1928年12月17日第4卷第49期,署名废名。又载北平《华北日报副刊》1929年1月6日第3号,署名废名。收入短篇小说集《枣》。

11月12日

发表长篇小说《无题之十八》(共2章),载上海《语丝》周刊第4卷第44期,署名废名。收入单行本《桥》,即下篇《一四 箫》《一五 诗》。

11月28日

作短篇小说《李教授》,载北平《新中华报副刊》1928年12月4日、5日第11号、第12号,署名废名。又载上海《语丝》周刊1928年12月24日第4卷第50期,署名废名。收入短篇小说集《枣》。

11月

北伐军攻入北平,改京师大学校为"国立中华大学",后更名为"国立北平大学"(1929年,恢复为"国立北京大学"),聘周作人为文学院国文系教授和日本文学系主任。废名复学,仍在英国文学系读书。

12月19日

作短文《关于校对》,载上海《语丝》周刊12月17日第4卷第49期,署名废名。

12月下旬初

受俞平伯之托,转交周作人信一封(《俞平伯年谱》,第112页)。

1929年(民国十八年 己巳) 29岁

1月5日

致杨晦信,署名废(原件藏中国国家图书馆)。

1月6日

赴苦雨斋参加凡社聚会(《周作人日记》中册,第576页)。

1月19日

同程鹤西访周作人(《周作人日记》中册,第582页)。

2月

回黄梅省亲。不久,返北平。

3月2日

晚寄宿周作人家。第二天上午回去(《周作人日记》中册,第604页)。

3月10日

下午访周作人(《周作人日记》中册,第608页)。

3月23日

下午访周作人,周作人"以银印予之"(《周作人日记》中册,第617页)。

3月29日

访周作人(《周作人日记》中册,第619页)。

4月3日

下午访周作人,晚饭后离去(《周作人日记》中册,第623页)。

4月8日

周作人赠印泥一盒(7日在富晋书庄花两元买的)(《周作人日记》中册,第625页)。

4月10日

拙亭发表《关于废名〈桃园〉之批判》,载上海《开明》第1卷第10号。

4月20日

访周作人(《周作人日记》中册,第631页)。

5月19日

鲁迅于5月13日赴北平省母,19日上午废名至阜成门内西三条胡同拜访(《鲁迅全集》第16卷,第134页)。

6月1日

致杨晦信,载北平《华北日报副刊》1929年6月6日第82号,署名废名。

6月2日

上午访周作人,下午离去(《周作人日记》中册,第649页)。

6月6日

发表长篇小说《无题》之一章《天井》,正文前有6月1日致杨晦信,载北平《华北日报副刊》第82号,署名废名。收入单行本《桥》,即下篇《一六 天井》。

6月8日

发表长篇小说《无题》之一章《今天下雨》,载北平《华北日报副刊》第 84 号,署名废名。收入单行本《桥》,即下篇《一七　今天下雨》。

6 月 11 日(端午节)

上午访周作人,下午离去(《周作人日记》中册,第 652 页)。

6 月 12 日

周作人寄信废名(《周作人日记》中册,第 653 页)。

6 月 13 日

赠周作人相片一张(《周作人日记》中册,第 653 页)。

6 月 17 日

周作人寄信废名(《周作人日记》中册,第 655 页)。

6 月 22 日

下午访周作人,晚 10 时后离去。钱玄同等在座(《周作人日记》中册,第 658 页)。

7 月 3 日

周作人得废名信(《周作人日记》中册,第 664 页)。

7 月 5 日

周作人得废名信(《周作人日记》中册,第 665 页)。

7 月 8 日

作短篇小说《文公庙》,载北平《华北日报副刊》1929 年 8 月 14 日第 138 号,署名废名。收入短篇小说集《枣》。

7 月 10 日

周作人寄信废名(《周作人日记》中册,第 668 页)。

7 月 14 日

沈从文在短篇小说《夫妇》篇"尾记"中称自己写乡下的小

说,是受了废名的影响。

7月17日

冯至发表《西郊遇雨记——寄给废名》,载北平《华北日报副刊》第114号。

7月19日

发表长篇小说《无题》之一章《八丈亭》,载北平《华北日报副刊》第116号,署名废名。收入单行本《桥》,即下篇《一八　桥》。

7月25日

下午访周作人,周作人赠《永日集》一本(《周作人日记》中册,第676页)。

7月26日

发表长篇小说《无题》之一章《顶上》,载北平《华北日报副刊》第122号,署名废名。收入单行本《桥》,即下篇《一九　八丈亭》。

9月4日

周作人寄信废名(《周作人日记》中册,第698页)。

9月5日

发表长篇小说《无题》之一章《枫树》,载北平《华北日报副刊》第154号,署名废名。收入单行本《桥》,即下篇《二〇　枫树》。

同日

周作人寄信废名(《周作人日记》中册,第699页)。

9月9日

周作人得废名信(《周作人日记》中册,第701页)。

9月10日

　　周作人寄信废名(《周作人日记》中册,第701页)。

9月17日

　　上午访周作人(《周作人日记》中册,第705页)。

9月21日

　　周作人寄信废名(《周作人日记》中册,第707页)。

9月23日

　　女儿出生,取名改男。1939年在黄梅金家寨上小学四年级时,改名为止慈。

9月

　　续作短篇小说《未完》。全篇连载于北平《华北日报副刊》1929年9月19日、20日、21日第165号、第166号、第167号,署名废名。第165号正文前有致杨晦信。全篇又载上海《北新》半月刊1930年1月16日第4卷第1、2期合刊,题为"实录",正文后有1929年11月28日所作附记,署名废名。收入短篇小说集《枣》,改题"四火"。

10月3日

　　周作人寄信和照片给废名(《周作人日记》中册,第714页)。

10月10日

　　致周作人信,署名废(原件藏周作人后人处)。

10月12日

　　周作人得废名信(《周作人日记》中册,第719页)。

10月13日

　　周作人致废名信(《周作人书信》,第213页)。

10月17日

发表长篇小说《无题》之一章《梨花白》,载北平《华北日报副刊》第184号,署名废名。收入单行本《桥》,即下篇《二一　梨花白》。

10月28日

发表长篇小说《无题》之一章《树》,载北平《华北日报副刊》第193号,署名废名。收入单行本《桥》,即下篇《二二　树》。

同日

杨晦为张凤举饯行,应邀至忠信堂午餐。周作人、陈炜谟、冯至等在座(《周作人日记》中册,第726页)。

11月3日

下午访周作人(《周作人日记》中册,第729页)。

11月16日

发表长篇小说《无题》之一章《颜色》,载北平《华北日报副刊》第205号,署名废名。收入单行本《桥》,即下篇《二三　塔》。

11月21日

上午访周作人,晚饭后回去(《周作人日记》中册,第737页)。

同日

周作人寄信废名(《周作人日记》中册,第737页)。

11月22日

上午访周作人,同往高粱桥广通寺为周作人次女若子看殡屋(《周作人日记》中册,第738页)。

11月23日

中午访周作人,下午离去(《周作人日记》中册,第738页)。

11月24日

  下午访周作人(《周作人日记》中册,第739页)。

11月25日

  上午访周作人(《周作人日记》中册,第739页)。

11月26日

  随周作人等人送若子出殡至广通寺。

11月28日

  作短篇小说《实录》附记,载上海《北新》半月刊1930年1月16日第4卷第1、2期合刊,署名废名。

12月1日

  下午访周作人,晚饭后离去(《周作人日记》中册,第742页)。

12月16日

  毛一波发表《"竹林的故事"和"桃园"》,载上海《真美善》第5卷第2号。

12月25日

  鹤西发表《今天下雪——拟废名》,载北平《华北日报副刊》第232号。

12月29日

  作短篇小说《枣》(系"旅客的话一"),载北平《华北日报副刊》1930年1月1日第237号,署名废名。收入短篇小说集《枣》。

1930年(民国十九年 庚午) 30岁

1月1日

石民自上海寄废名日记本一册。

1月12日

作短篇小说《墓》(系"旅客的话二"),载北平《华北日报副刊》1930年1月16日第245号,署名废名。收入短篇小说集《枣》。

1月27日

发表长篇小说《无题》之一章《故事》,载北平《华北日报副刊》第253号,署名废名。收入单行本《桥》,即下篇《二四故事》。

2月21日

往西山卜居。

同日

致杨晦信,署名废名(原件藏中国现代文学馆)。

3月4日

周作人得废名信(《周作人日记》下册,第28页)。

3月5日

作《笼》诗附记。

3月6日

长篇小说《无题》上卷完稿。

3月8日

下午访周作人(《周作人日记》下册,第29页)。

3月10日

发表长篇小说《无题》之一章《桃林》，载北平《华北日报副刊》第280号，署名废名。收入单行本《桥》，即下篇《二五 桃林》。

同日

上午访周作人，下午上西山(《周作人日记》下册,第30页)。

3月11日

周作人致废名信(《周作人书信》,第214页)。

3月16日

发表诗《笼》，载北平《华北日报副刊》第281号,署名废名。

同日

作《一日内的几首诗》附记，载北平《骆驼草》周刊1930年5月26日第3期,署名废名。

3月29日

上午访周作人，下午离去(《周作人日记》下册,第39页)。

3月31日

周作人寄信废名(《周作人日记》下册,第40页)。

4月4日

上午访周作人，午饭后离去(《周作人日记》下册,第41页)。

4月5日(清明)

上午访周作人，同往广通寺祭奠(《周作人日记》下册,第42页)。

4月10日

下午同冯至访周作人，晚上10时后离去(《周作人日记》下册,第45页)。

4月19日

晚饭后访周作人,10时后离去(《周作人日记》下册,第49页)。

4月20日

作杂感《"中国自由运动大同盟宣言"》,载北平《骆驼草》周刊1930年5月12日创刊号,署名丁武。

同日

致杨晦信,署名废名(原件藏中国现代文学馆)。

4月21日

致杨晦信,署名废名(原件藏中国现代文学馆)。

4月22日

傍晚访周作人,饭后离去(《周作人日记》下册,第50页)。

4月24日

下午访周作人,饭后离去(《周作人日记》下册,第51页)。

同日

周作人致信俞平伯,谓:"废名等所创办周刊,拟于下月五日出版……至于废公则寓景山东街中老胡同二十一号也。"(《周作人致俞平伯(1930年4月24日)》,《新文学史料》1995年第1期)

4月28日

周作人得废名信(《周作人日记》下册,第53页)。

同日

下午访周作人,晚饭后离去(《周作人日记》下册,第53页)。

同日

致杨晦信,署名废名(原件藏中国现代文学馆)。

5月3日

下午访周作人,饭后离去(《周作人日记》下册,第56页)。

5月8日

访周作人(《周作人日记》下册,第58页)。

5月10日

下午访周作人,交《骆驼草》周刊第一期样稿(《周作人日记》下册,第58页)。

5月11日

下午访周作人,晚10时半离去。沈启无在座(《周作人日记》下册,第59页)。

5月12日

《骆驼草》周刊创刊,与冯至负责编辑、校对、发行等。刊名由废名拟、沈尹默题。

同日

发表《发刊词》,载北平《骆驼草》周刊创刊号,未署名。

同日

发表长篇小说《莫须有先生传》之《第一章 姓名,年龄,籍贯》,载北平《骆驼草》周刊创刊号,署名废名。

同日

周作人寄信废名(《周作人日记》下册,第59页)。

5月13日

程鹤西致废名信。

5月15日

复程鹤西信。二人通信以《邮筒》为题,载北平《骆驼草》周刊 1930 年 5 月 26 日第 3 期,署名废名。

5 月 16 日

下午访周作人,晚饭后离去(《周作人日记》下册,第 61 页)。

5 月 17 日

下午访周作人,晚上 11 时离去。徐祖正、冯至、沈启无在座(《周作人日记》下册,第 62 页)。

5 月 19 日

发表长篇小说《莫须有先生传》之《第二章 莫须有先生下乡》,载北平《骆驼草》周刊第 2 期,署名废名。

5 月 23 日

下午访周作人,晚饭后离去(《周作人日记》下册,第 65 页)。

同日

周作人寄信废名,得废名信(《周作人日记》下册,第 65 页)。

5 月 26 日

发表《一日内的几首诗》(共 6 首),末有 3 月 16 日所作"附记",载北平《骆驼草》周刊第 3 期,署名废名。

同日

发表杂感《闲话》,载北平《骆驼草》周刊第 3 期,署名丁武。

同日

廖翰庠致《骆驼草》编辑信,载北平《骆驼草》周刊 1930 年 6 月 9 日第 5 期。

5 月 28 日

下午访周作人,晚饭后离去(《周作人日记》下册,第 67 页)。

同日

以"记者"名义复廖翰庠信,载北平《骆驼草》周刊1930年6月9日第5期。

5月30日

下午访周作人,晚饭后离去(《周作人日记》下册,第68页)。

6月2日

发表长篇小说《莫须有先生传》之《第三章　花园巧遇》,载北平《骆驼草》周刊第4期,署名废名。

6月3日

周作人寄信废名(《周作人日记》下册,第70页)。

同日

千因(谭丕模)发表《谈〈骆驼草〉上的几篇东西》,载北平《新晨报副刊》第621号。

6月4日

周作人寄信废名(《周作人日记》下册,第70页)。

6月5日

下午访周作人,晚饭后离去。俞平伯、江绍原在座(《周作人日记》下册,第71页)。

6月7日

下午访周作人,晚上11时后离去。徐祖正、冯至、钱玄同在座(《周作人日记》下册,第72页)。

6月9日

发表短文《补白》,载北平《骆驼草》周刊第5期,未署名。

6月11日

下午访周作人,晚饭后离去(《周作人日记》下册,第73页)。

6月14日

晚上访周作人,10时半离去(《周作人日记》下册,第75页)。

6月16日

发表长篇小说《莫须有先生传》之《第四章 莫须有先生不要提他的名字》,载北平《骆驼草》周刊第6期,署名废名。

同日

发表杂感《闲话》,载北平《骆驼草》周刊第6期,署名惠敏。

同日

下午访周作人,晚饭后离去(《周作人日记》下册,第75页)。

6月21日

下午访周作人(《周作人日记》下册,第78页)。

6月23日

发表散文《死之beauty》,载北平《骆驼草》周刊第7期,署名废名。

同日

《骆驼草》周刊第7期刊"骆驼草社"致廖翰庠函,疑出自废名手笔。

6月24日

下午访周作人,晚上10时离去(《周作人日记》下册,第79页)。

6月28日

下午访周作人(《周作人日记》下册,第81页)。

6月30日

发表杂感《闲话》,载北平《骆驼草》周刊第8期,署名惠敏。

7月5日

下午访周作人(《周作人日记》下册,第85页)。

7月6日

周作人寄信废名(《周作人日记》下册,第85页)。

7月7日

发表长篇小说《莫须有先生传》之《第五章 莫须有先生看顶戴》,载北平《骆驼草》周刊第9期,署名废名。

同日

发表杂感《闲话》,载北平《骆驼草》周刊第9期,署名惠敏。

7月12日

下午访周作人(《周作人日记》下册,第88页)。

7月16日

下午访周作人,晚上10时离去。徐祖正、俞平伯等在座(《周作人日记》下册,第89—90页)。

同日

周作人寄信废名(《周作人日记》下册,第90页)。

7月19日

下午访周作人,晚上11时半离去。沈启无在座(《周作人日记》下册,第91页)。

7月21日

发表长篇小说《莫须有先生传》之《第六章 这一回讲到三脚猫》,载北平《骆驼草》周刊第11期,署名废名。

7月26日

下午访周作人(《周作人日记》下册,第94页)。

8月2日

晚上访周作人,11时离去(《周作人日记》下册,第97页)。

8月4日

发表《随笔》,载北平《骆驼草》周刊第13期,署名非命。

同日

作《桥》附记,载北平《骆驼草》周刊8月11日第14期,署名废名。

8月5日

下午访周作人,晚饭后离去(《周作人日记》下册,第99页)。

8月9日

下午访周作人,晚上10时离去。杨晦、冯至、陈翔鹤在座(《周作人日记》下册,第101页)。

8月11日

发表长篇小说《桥》之《第一回》《金银花》《史家庄》《井》《落日》《洲》《猫》,载北平《骆驼草》周刊第14期,署名废名。第14期系废名作品专集。

8月16日

下午访周作人(《周作人日记》下册,第104页)。

8月18日

发表长篇小说《桥》之《万寿宫》《闹学》《芭茅》《狮子的影子》,载北平《骆驼草》周刊第15期,署名废名。

8月21日

　　陪周作人一家至仿膳午饭(《周作人日记》下册,第106页)。

同日

　　周作人寄信废名(《周作人日记》下册,第106页)。

8月23日

　　下午访周作人(《周作人日记》下册,第107页)。

8月25日

　　发表长篇小说《桥》之《"送牛"》《"松树脚下"》,载北平《骆驼草》周刊第16期,署名废名。

8月28日

　　下午访周作人(《周作人日记》下册,第110页)。

8月30日

　　下午同杨晦访周作人,晚上9时离去(《周作人日记》下册,第111页)。

8月31日

　　周作人寄信废名(《周作人日记》下册,第111页)。

9月1日

　　发表长篇小说《桥》之《习字》,载北平《骆驼草》周刊第17期,署名废名。

同日

　　发表长篇小说《莫须有先生传》之《第七章　莫须有先生画符》,载北平《骆驼草》周刊第17期,署名废名。

9月3日

　　晚周作人、徐祖正在苦雨斋为即将赴德国留学的冯至饯行,废名与杨晦夫妇、梁遇春、俞平伯等9人作陪(《周作人日记》下册,第113页)。

9月5日

下午访周作人,下午离去(《周作人日记》下册,第114页)。

9月6日

下午访周作人(《周作人日记》下册,第114页)。

9月8日

发表长篇小说《桥》之《花》《"送路灯"》,载北平《骆驼草》周刊第18期,署名废名。

同日

发表《译诗》(太戈尔原作),载北平《骆驼草》周刊第18期,署名法。

同日

发表长篇小说《莫须有先生传》之《第八章 续讲上回的事情》,载北平《骆驼草》周刊第18期,署名废名。

9月9日

周作人寄信废名(《周作人日记》下册,第116页)。

9月11日

下午访周作人(《周作人日记》下册,第117页)。

9月12日

冯至赴德国留学,废名独立支撑《骆驼草》编务。

9月13日

下午访周作人(《周作人日记》下册,第118页)。

9月15日

发表长篇小说《桥》之《瞳人》《碑》,载北平《骆驼草》周刊第19期,署名废名。

9月16日

上午访周作人,午饭后离去(《周作人日记》下册,第119页)。

9月19日

傍晚访周作人,8时半离去(《周作人日记》下册,第121页)。

9月20日

下午同杨晦访周作人,晚上9时半离去(《周作人日记》下册,第121页)。

9月22日

发表长篇小说《莫须有先生传》之《第九章　白丫头唱个歌儿》,载北平《骆驼草》周刊第20期,署名废名。

9月23日

周作人寄信废名(《周作人日记》下册,第123页)。

9月24日

下午访周作人(《周作人日记》下册,第123页)。

9月27日

下午访周作人,晚上9时后离去(《周作人日记》下册,第125页)。

9月29日

发表短文《阿左林的话》,载北平《骆驼草》周刊第21期,署名法。

同日

发表短文《草话》,载北平《骆驼草》周刊第21期,署名补白子。

9月30日

下午访周作人,晚上 11 时离去。钱玄同在座(《周作人日记》下册,第 126 页)。

10月4日

下午访周作人(《周作人日记》下册,第 128 页)。

10月6日

发表长篇小说《莫须有先生传》之《第十一章　莫须有先生写情书及其他》,载北平《骆驼草》周刊第 22 期,署名废名。

同日

下午访周作人(《周作人日记》下册,第 129 页)。

同日

周作人得废名信(《周作人日记》下册,第 130 页)。

10月7日

晚上访周作人(《周作人日记》下册,第 130 页)。

10月10日

发表散文《过中秋》,载北平《华北日报副刊》第 283 号,署名废名。

10月11日

下午访周作人,晚饭后离去(《周作人日记》下册,第 132 页)。

10月12日

发表散文《立斋谈话》之"一""二",载北平《华北日报副刊》第 284 号,署名废名。

10月13日

发表杂感《国庆日之朝》,载北平《骆驼草》周刊第23期,署名补白子。

同日

发表散文《立斋谈话》之"三""四",载北平《华北日报副刊》第285号,署名废名。

10月14日

周作人寄信废名(《周作人日记》下册,第133页)。

10月16日

发表散文《立斋谈话》之"五",载北平《华北日报副刊》第287号,署名废名。

同日

周作人寄信废名(《周作人日记》下册,第134页)。

10月17日

下午访周作人(《周作人日记》下册,第135页)。

同日

作《往日记》前记,载北平《华北日报副刊》1930年10月19日第289号,署名废名。

10月19日

发表散文《往日记》之"一""二",载北平《华北日报副刊》第289号,署名废名。

10月20日

下午访周作人,携来杨晦所赠樱桃烧酒两瓶(《周作人日记》下册,第136页)。

10月22日

发表散文《往日记》之"三""四",载北平《华北日报副刊》第291号,署名废名。

同日

致周作人信,署名废(原件藏周作人后人处)。

同日

周作人得废名信(《周作人日记》下册,第137页)。

10月23日

晚上同梁遇春访周作人,10时离去(《周作人日记》下册,第137页)。

10月27日

发表《随笔》,载北平《骆驼草》周刊第25期,署名法。

10月28日

下午访周作人,晚上11时后离去。钱玄同在座(《周作人日记》下册,第140页)。

10月29日

发表散文《往日记》之"五""六""七",载北平《华北日报副刊》第295号,署名废名。

10月

短篇小说集《桃园》,由上海开明书店3版,署名废名。

11月3日

发表长篇小说《莫须有先生传》之《第十二章 月亮已经上来了》,载北平《骆驼草》周刊第26期,署名废名。《骆驼草》出完第26期后,自动停刊。

11月6日

　　下午访周作人,晚饭后离去(《周作人日记》下册,第 144 页)。

11月9日

　　下午访周作人(《周作人日记》下册,第 145 页)。

11月12日

　　中午同杨晦访周作人,下午 3 时离去(《周作人日记》下册,第 146 页)。

11月15日

　　上午访周作人(《周作人日记》下册,第 147 页)。

11月18日

　　周作人致废名信,邀请废名参加若子的周年纪念活动(《周作人书信》,第 215 页)。

11月20日

　　若子周年忌日。至周作人家(《周作人日记》下册,第 150 页)。

11月21日

　　周作人得废名信(《周作人日记》下册,第 151 页)。

11月22日

　　应周作人之招,谈《世界日报》副刊事,并借去《品花宝鉴》一部(《周作人日记》下册,第 151 页)。

同日

　　周作人寄信废名(《周作人日记》下册,第 151 页)。

11月24日

　　下午访周作人(《周作人日记》下册,第 152 页)。

11 月 27 日

下午访周作人(《周作人日记》下册,第 153 页)。

12 月 4 日

下午访周作人,晚饭后离去(《周作人日记》下册,第 157 页)。

12 月 8 日

下午访周作人,晚上离去(《周作人日记》下册,第 159 页)。

12 月 9 日

周作人寄信废名(《周作人日记》下册,第 159 页)。

12 月 12 日

下午访周作人(《周作人日记》下册,第 160 页)。

12 月 16 日

周作人寄信废名(《周作人日记》下册,第 162 页)。

12 月 18 日

下午访周作人,晚饭后离去(《周作人日记》下册,第 163 页)。

12 月 21 日

下午访周作人,晚上 8 时离去(《周作人日记》下册,第 165 页)。

12 月 22 日

发表散文《斗方夜谭》之"一""二",载北平《华北日报副刊》第 343 号,署名废名。

12 月 24 日

发表散文《斗方夜谭》之"三",载北平《华北日报副刊》第 345 号,署名废名。

12 月 25 日

发表散文《斗方夜谭》之"四""五""六",载北平《华北日报副刊》第 346 号,署名废名。

12 月 26 日

发表散文《斗方夜谭》之"七""八",载北平《华北日报副刊》第 347 号,署名废名。

12 月 27 日

发表散文《斗方夜谭》之"九",载北平《华北日报副刊》第 348 号,署名废名。

同日

下午访周作人,晚上 9 时顷离去。梁遇春、杨晦等在座(《周作人日记》下册,第 167 页)。

12 月 31 日

下午访周作人(《周作人日记》下册,第 169 页)。

1931 年(民国二十年 辛未) 31 岁

1 月 1 日

发表散文《看树》,载北平《华北日报副刊》第 353 号,署名废名。

1 月 7 日

发表散文《斗方夜谭》之"十""十一""十二",载北平《华北日报副刊》第 354 号,署名废名。

1 月初

赴青岛暂住。时杨振声任青岛大学校长,废名拟在青岛大学谋得短期教职,以便住到夏天。曾写信向周作人、俞平伯求助,未果。

1月12日

致周作人信,署名废(原件藏周作人后人处)。

1月16日

冯至致杨晦、废名信(《冯至全集》第12卷,河北教育出版社1999年版,第110—112页。后文仅著录书名、卷数、页码)。

同日

俞平伯"得废名青岛来信"(《秋荔亭日记》,《俞平伯全集》第10卷,花山文艺出版社1997年版,第210页。后文仅著录书名、卷数、页码)。

1月18日

俞平伯复废名信(《秋荔亭日记》,《俞平伯全集》第10卷,第210页)。

1月20日

冯至致杨晦信,要求把"这封信也给废名、翔鹤"(《冯至全集》第12卷,第112—114页)。

2月3日

周作人致废名信(《周作人书信》,第216—217页)。

2月14日

致胡适信,署名废名(原件藏中国社会科学院中国历史研究院图书档案馆胡适档案内)。

2月28日

致钱玄同信,署名废名(原件藏北京新文化运动纪念馆)。

2月

返回北平。

3月5日

俞平伯得周作人转交废名信(《俞平伯年谱》,第135页)。

3月13日

周作人致信俞平伯,遵废名嘱托转交俞平伯两首诗。

3月14日

作诗《亚当》,载北平《文学季刊》1934年1月1日创刊号(第1卷第1期),署名废名。又载上海《诗领土》月刊1944年6月25日第3号(5、6月合刊),与《偶成》合题为"废名诗抄",署名废名。又载上海《风雨谈》月刊1944年8月9日第14期,署名废名。存手稿(凡仅著录"存手稿"者,其原件均藏废名后人处)。

同日

作诗《沉默》。未发表。存手稿。

3月15日

作诗《止定》。未发表。存手稿。

同日

作诗《诗情》,载北平《华北日报·文艺周刊》1934年5月21日第8期,与《醉歌》合题为"诗选之七",署名废名。

同日

冯至致杨晦信,嘱其"请给废名一看"(《冯至全集》第12卷,第117—118页)。

3月16日

作诗《眼明》。未发表。存手稿。

3月17日

作诗《梦之二》。家藏稿原题为"梦之使者"。另见废名《中国文章》(载北平《世界日报·明珠》1936年11月6日第37期),题为"梦"。1945年1月10日,他在《黄梅初级中学二四区毕业同学所办怀友录序》中,也引录了此诗,题为"梦"。存手稿。

同日

作诗《无题》(对着镜子),载北平《华北日报·文艺周刊》1934年4月23日第4期,与《果》《栽花》《坟》合题为"诗选之三",署名废名。家藏稿原题为"杀却像"。

3月18日

作诗《草,树,花》。未发表。存手稿。

同日

作诗《画》(嫦娥说),载北平《华北日报·文艺周刊》1934年4月2日创刊号,与《琴》《墓》《画题》《路上》《伊的天井》合题为"琴及其他",署名废名。又载奉天《盛京时报》1934年4月12日《另外一页》,署名废名。存手稿。

3月21日

作诗《拔树梦》。

3月

编成诗集《天马》,收诗80余首,后散失。

4月1日

俞平伯"为废名书诸葛公二诫"(《秋荔亭日记》,《俞平伯全集》第10卷,第222页)。

4月10日

冯至致信杨晦、废名并转陈翔鹤(《冯至全集》第12卷,第118—122页)。

4月11日

俞平伯"得废名书,即复之"(《秋荔亭日记》,《俞平伯全集》第10

卷,第224页)。

4月12日

周作人致废名信(《周作人书信》,第218页)。

4月15日

作诗《灯》。收入诗集《镜》。

4月18日

访俞平伯。

4月20日

作《桥》序,署名废名。收入长篇小说《桥》。

5月12日

作诗《海》,载北平《文学季刊》1934年1月1日创刊号,署名废名。收入诗集《镜》。

同日

作诗《泪落》,载北平《华北日报·文艺周刊》1934年5月7日第6期,与《镜》合题为"诗选之五",署名废名。又载奉天《盛京时报》1934年5月20日《另外一页》,署名废名。收入诗集《镜》。

5月13日

作诗《镜》,载北平《华北日报·文艺周刊》1934年5月7日第6期,与《泪落》合题为"诗选之五",署名废名。收入诗集《镜》。

同日

作诗《掐花》,载北平《文学季刊》1934年1月1日创刊号(第1卷第1期),署名废名。收入诗集《镜》。

同日

作诗《花露》,载北平《华北日报·文艺周刊》1934年4月30日第5期,与《人间》合题为"诗选之四",署名废名。收入诗集《镜》。

同日

作诗《空华》、《伊》(上帝创世)、《画》(我不能画一幅画同梦一样)、《伊》(光阴好比一面镜子似的)。收入诗集《镜》。

5月14日

作诗《渡》。收入诗集《镜》。

同日

作诗《人间》,载北平《华北日报·文艺周刊》1934年4月30日第5期,与《花露》合题为"诗选之四",署名废名。收入诗集《镜》。

5月15日

作诗《荡舟》。收入诗集《镜》。

同日

作诗《醉歌》,载北平《华北日报·文艺周刊》1934年5月21日第8期,与《诗情》合题为"诗选之七",署名废名。收入诗集《镜》。

同日

作诗《墓》,载北平《华北日报·文艺周刊》1934年4月2日创刊号,与《琴》《画》(嫦娥说)、《画题》《路上》《伊的天井》合题为"琴及其他",署名废名。又载奉天《盛京时报》1934年4月12日《另外一页》,署名废名。收入诗集《镜》。

5月16日

作诗《妆台》,载北平《文学季刊》1934年1月1日创刊号(第1卷第1期),署名废名。收入诗集《镜》。

同日

作诗《壁》,载北平《文学季刊》1934年1月1日创刊号(第1卷第1期),署名废名。收入诗集《镜》。家藏稿改题为"点灯"。

同日

作诗《上帝的花园》《伊》(想着伊的去年)、《无题》(在赴死之前)、《自惜》《镜铭》《秋水》《果华》。收入诗集《镜》。

5月17日

作诗《梦中》(梦中我画得一个太阳),载北平《华北日报·文艺周刊》1934年5月14日第7期,与《梧桐》合题为"诗选之六",署名废名。收入诗集《镜》。

同日

作诗《画题》,载北平《华北日报·文艺周刊》1934年4月2日创刊号,与《琴》《画》(嫦娥说)、《墓》《路上》《伊的天井》合题为"琴及其他",署名废名。又载奉天《盛京时报》1934年4月12日《另外一页》,署名废名。收入诗集《镜》。

同日

作诗《路上》,载北平《华北日报·文艺周刊》1934年4月2日创刊号,与《琴》《画》(嫦娥说)、《墓》《画题》《伊的天井》合题为"琴及其他",署名废名。又载奉天《盛京时报》1934年4月12日《另外一页》,署名废名。收入诗集《镜》。

同日

作诗《朝阳》《耶稣》《无题》(梦中我梦见人间死了)、《拈花》《沉埋》《莲花》《梦中》(梦中我梦见水)、《池岸》。收入诗集《镜》。

5月18日

作诗《梧桐》,载北平《华北日报·文艺周刊》1934年5月14日第7期,与《梦中》(梦中我画得一个太阳)合题为"诗选之六",署名废名。收入诗集《镜》。

同日

作诗《伊的天井》,载北平《华北日报·文艺周刊》1934年4月2日创刊号,与《琴》《画》(嫦娥说)、《墓》《画题》《路上》合题为"琴及其他",署名废名。又载奉天《盛京时报》1934年4月12日《另外一页》,署名废名。收入诗集《镜》。

同日

作诗《花盆》,载北平《水星》月刊1934年11月10日第1卷第2期,署名废名。收入诗集《镜》。

同日

作诗《太阳》《赠》。收入诗集《镜》。

5月

编成诗集《镜》,共收诗40首。周作人后人处存有一份手稿,封面标题"镜",副标题"常出屋斋诗稿第二集",赠款"药庐老君炉前 二十年五月二十日"。未出版。

6月10日

发表长篇小说《莫须有先生传》之《行云章》(即单行本之《第十三章 这一章说到不可思议》),载上海《青年界》月刊第1卷第4期,署名废名。

同日

上海《现代文学评论》月刊刊登消息《冯文炳将来京》。

7月4日

周作人致废名信(《周作人书信》,第219页)。

7月22日

岂明(周作人)发表《枣和桥的序》,载北平《华北日报副刊》第539号。

7月30日

周作人致废名信(《周作人书信》,第220页)。

9月14日

周作人致废名信(《周作人书信》,第221页)。

10月17日

作《天马诗集》,载上海《风雨谈》月刊1943年7月25日第4期,署名废名。文末有沈启无1942年元日(2月15日)所作附记。

10月19日

完成长篇小说《莫须有先生传》。后到南京、上海等地。受梁遇春之托,将其散文集《泪与笑》带给上海的石民,希望出版。

10月29日

周作人致废名信(《周作人书信》,第222页)。

10月

短篇小说集《枣》,由上海开明书店出版(普及本),署名废名。内收小说8篇。书首有岂明(周作人)《枣和桥的序》,未列入目录。

目录:《小五放牛》《毛儿的爸爸》《四火》《李教授》《卜居》《文公庙》《枣》《墓》。

11月

被北京大学聘为国文系讲师。

本年

作诗《琴》,载北平《华北日报·文艺周刊》1934年4月2日创刊号,与《画》(嫦娥说)、《墓》《画题》《路上》《伊的天井》合题为"琴及其他",署名废名。又载奉天《盛京时报》1934年4月12日《另外一页》,署名废名。

本年

作诗《果》《栽花》《坟》,载北平《华北日报·文艺周刊》1934年4月23日第4期,与《无题》(对着镜子)合题为"诗选之三",署名废名。

本年

作诗《小园》,存手稿。

本年底

返北平。

1932年(民国二十一年　壬申)　32岁

1月1日

下午访周作人,赠所著《枣》一册(《周作人日记》下册,第172页)。

1月3日

下午访周作人,晚共饮香槟。俞平伯、沈启无在座(《周作人日记》下册,第172—173页)。

1月7日

　　下午访周作人,晚上9时离去(《周作人日记》下册,第174页)。

1月16日

　　下午访周作人(《周作人日记》下册,第178页)。

1月18日

　　周作人致废名信(《周作人书信》,第223页)。

1月23日

　　下午访周作人,晚上9时半离去(《周作人日记》下册,第182页)。

1月28日

　　下午访周作人(《周作人日记》下册,第184页)。

1月30日

　　下午访周作人(《周作人日记》下册,第185页)。

2月3日

　　上午访周作人(《周作人日记》下册,第187页)。

2月4日

　　下午访周作人(《周作人日记》下册,第188页)。

2月5日

　　周作人致废名信(《周作人书信》,第224页)。

2月6日(春节)

　　周作人寄信废名(《周作人日记》下册,第189页)。

2月7日

　　下午往周作人家拜年(《周作人日记》下册,第190页)。

2月8日

　　作《莫须有先生传》序。收入单行本《莫须有先生传》。

同日

下午访周作人,晚上9时离去(《周作人日记》下册,第190页)。

2月10日

周作人寄信废名(《周作人日记》下册,第191页)。

2月16日

下午访周作人,晚上9时离去(《周作人日记》下册,第194页)。

2月20日

下午访周作人(《周作人日记》下册,第196页)。

2月27日

下午访周作人(《周作人日记》下册,第199页)。

3月4日

下午访周作人,晚上9时离去(《周作人日记》下册,第202页)。

3月7日

下午访周作人(《周作人日记》下册,第204页)。

3月11日

周作人寄信废名(《周作人日记》下册,第206页)。

3月12日

下午访周作人,晚上离去(《周作人日记》下册,第206页)。

3月14日

为《春在堂所藏苦雨斋尺牍》题跋,署名废名。《春在堂所藏苦雨斋尺牍》系俞平伯所藏周作人书信集,共3册。此为第3册跋文。存手稿(原件藏俞平伯后人处)。

同日

下午访周作人(《周作人日记》下册,第207页)。

3月17日

下午访周作人,晚上9时离去(《周作人日记》下册,第208页)。

3月18日

周作人送墨盒一个(《周作人日记》下册,第209页)。

同日

周作人寄信废名(《周作人日记》下册,第209页)。

3月20日

岂明(周作人)发表《莫须有先生传序》,载北平《鞭策周刊》第1卷第3期。

同日

周作人寄信废名(《周作人日记》下册,第210页)。

3月21日

下午访周作人(《周作人日记》下册,第211页)。

同日

华西里(蒋光慈)发表《评废名君的"桃园"》,载北平《文艺战线》周刊第1卷第19期。

3月22日

晚访周作人(《周作人日记》下册,第211页)。

3月23日

下午访周作人,赠所书联一副(《周作人日记》下册,第212页)。

3月24日

周作人寄信废名(《周作人日记》下册,第212页)。

3月26日

下午访周作人(《周作人日记》下册,第213页)。

4月1日

下午访周作人,晚上 8 时后离去(《周作人日记》下册,第 218 页)。

4月6日

作《周作人散文钞》序,署名废名。收入开明书店 1932 年 8 月初版《周作人散文钞》,题为"废名序"。

同日

晚上访周作人,10 时离去。俞平伯、沈启无在座(《周作人日记》下册,第 220 页)。

4月7日

下午访周作人,晚上 8 时半离去(《周作人日记》下册,第 220 页)。

4月9日

下午访周作人(《周作人日记》下册,第 221 页)。

4月11日

下午访周作人(《周作人日记》下册,第 222 页)。

4月13日

下午访周作人(《周作人日记》下册,第 224 页)。

4月16日

下午访周作人(《周作人日记》下册,第 226 页)。

4月17日

下午访周作人(《周作人日记》下册,第 226 页)。

4月19日

应邀参加周作人在苦雨斋举行的"蒙难"(在北平大学女子文理学院被法学院学生囚禁)三周年纪念会。参加者还有俞平伯、钱玄同、江绍原、徐祖正等人(《周作人日记》下册,第 228 页)。

4月20日

作《桥》序,署名废名。收入长篇小说《桥》。

4月21日

下午访周作人(《周作人日记》下册,第228页)。

4月25日

下午访周作人(《周作人日记》下册,第230页)。

4月

长篇小说《桥》由上海开明书店出版,为平装普及本,署名废名。书首有岂明(周作人)《枣和桥的序》和废名《序》,均未列入目录。存手稿。

目录:上篇:《一　第一回》《二　金银花》《三　史家庄》《四　井》《五　落日》《六　洲》《七　猫》《八　万寿宫》《九　闹学》《十　芭茅》《一一　狮子的影子》《一二　"送牛"》《一三　"松树脚下"》《一四　习字》《一五　花》《一六　"送路灯"》《一七　瞳人》《一八　碑》;下篇:《一　"第一的哭处"》《二　"且听下回分解"》《三　灯》《四　日记》《五　棕榈》《六　沙滩》《七　杨柳》《八　黄昏》《九　灯笼》《十　清明》《一一　路上》《一二　茶铺》《一三　花红山》《一四　箫》《一五　诗》《一六　天井》《一七　今天下雨》《一八　桥》《一九　八丈亭》《二〇　枫树》《二一　梨花白》《二二　树》《二三　塔》《二四　故事》《二五　桃林》。

5月5日

下午访周作人,晚上9时半离去(《周作人日记》下册,第235页)。

5月9日

下午访周作人,晚上8时离去(《周作人日记》下册,第237页)。

5月11日

应招至周作人家晚饭,章矛尘、钱玄同、沈启无等在座,10时半散(《周作人日记》下册,第238页)。

5月14日

下午访周作人(《周作人日记》下册,第239页)。

5月19日

下午访周作人(《周作人日记》下册,第241页)。

5月20日

周作人"上午往北大上课,归途访废名,午返"(《周作人日记》下册,第242页)。

5月23日

下午访周作人,晚上9时半离去(《周作人日记》下册,第243页)。

5月26日

下午访周作人,晚上8时半离去(《周作人日记》下册,第244页)。

5月30日

致周作人信,署名废(原件藏周作人后人处)。

同日

上海《文艺新闻》第57号发表《莫须有先生不知说什么》。

6月4日

访周作人(《周作人日记》下册,第250页)。

6月6日

下午访周作人(《周作人日记》下册,第251页)。

6月8日

音乐教育家刘天华病逝,废名撰挽联"高山流水不朽,物是人非可悲"(《今年的暑假》,上海《现代》月刊 1932 年 9 月 1 日第 1 卷第 5 期)。

6 月 9 日

晚上访周作人(《周作人日记》下册,第 252 页)。

6 月 11 日

下午访周作人,晚上 10 时半离去。钱玄同、江绍原、沈启无等在座(《周作人日记》下册,第 253 页)。

6 月 15 日

致胡适信,署名废名。附同日所作小诗《无题》(原件藏中国社会科学院中国历史研究院图书档案馆胡适档案内)。

6 月 16 日

周作人得废名信(《周作人日记》下册,第 256 页)。

6 月 17 日

周作人得废名信(《周作人日记》下册,第 257 页)。

6 月 18 日

下午访周作人(《周作人日记》下册,第 257 页)。

6 月 22 日

下午访周作人,赠长篇小说《桥》2 册(《周作人日记》下册,第 259 页)。

6 月 24 日

下午访周作人(《周作人日记》下册,第 260 页)。

同日

看望病中的梁遇春,梁遇春嘱其向石民致意。

6月25日

梁遇春病逝,废名撰挽联"此人只好彩笔成梦,为君应是昙花招魂"(《秋心遗著序》,上海《现代》月刊1933年3月1日第2卷第5期)。又与俞平伯合作集句联:"仗酒祓清愁,花销英气;正十分皓月,一半春光"(《追悼梁遇春》,北平《京报》1932年7月10日第6版)。

6月26日

周作人得知梁遇春于昨日病逝,"下午往看废名"(《周作人日记》下册,第261页)。

6月27日

下午同沈启无访周作人(《周作人日记》下册,第261页)。

6月30日

上午访周作人,下午去又来。周作人付梁遇春追悼会会费5元(《周作人日记》下册,第263页)。

6月

长篇小说《桥》硬面精装本由上海美成印刷公司出版,开明书店发行,署名废名。

7月1日

晚上访周作人(《周作人日记》下册,第264页)。

7月4日

上午访周作人(《周作人日记》下册,第266页)。

7月5日

作散文《悼秋心(梁遇春君)》,载天津《大公报·文学副刊》1932年7月11日第236期,署名废名。正文前有编者按。

7月7日

访周作人,借花钵去(《周作人日记》下册,第267页)。

7月9日

与蒋梦麟、周作人、胡适、俞平伯、叶公超等人发起召开梁遇春追悼会,在北京大学第二院礼堂举行。

7月10日

上午访周作人,下午离去(《周作人日记》下册,第269页)。

7月11日

访周作人(《周作人日记》下册,第269页)。

7月中旬

返西山。

7月15日

致胡适信,署名废名(原件藏中国社会科学院中国历史研究院图书档案馆胡适档案内)。

7月16日

周作人得废名信(《周作人日记》下册,第272页)。

7月20日

作散文《今年的暑假》,载上海《现代》月刊1932年9月1日第1卷第5期,署名废名。

7月25日

周作人得废名信(《周作人日记》下册,第276页)。

7月26日

周作人寄信废名(《周作人日记》下册,第277页)。

8月1日

周作人寄信废名(《周作人日记》下册,第280页)。

同日

上海《现代》月刊第1卷第4期刊书评《"桥"》。

8月2日

上午同程鹤西访周作人,下午2时半去(《周作人日记》下册,第281页)。

8月11日

周作人寄信废名(《周作人日记》下册,第286页)。

8月13日

周作人得废名信(《周作人日记》下册,第287页)。

8月25日

PK发表《废名—沈从文》,载北平《京报·野马》。

8月28日

周作人寄信废名(《周作人日记》下册,第294页)。

8月31日

周作人寄信废名(《周作人日记》下册,第296页)。

盛夏

往西山避暑,住在一个偏僻的巷子里,如同"走进象牙之塔"(《今年的暑假》,上海《现代》月刊1932年9月1日第1卷第5期)。

9月1日

周作人得废名信(《周作人日记》下册,第297页)。

9月2日

上午访周作人,下午离去(《周作人日记》下册,第297页)。

9月3日

下午访周作人,晚上8时半离去(《周作人日记》下册,第298页)。

9月7日

周作人得废名信(《周作人日记》下册,第300页)。

9月8日

周作人寄信废名(《周作人日记》下册,第300页)。

9月13日

周作人得废名信(《周作人日记》下册,第303页)。

9月13日、14日、16日

迪克发表《"废名"与沈从文》,载奉天《盛京时报·神皋杂俎》。

9月16日

下午访周作人,晚上离去(《周作人日记》下册,第304页)。

9月17日

中午访周作人(《周作人日记》下册,第304页)。

9月20日

发表长篇小说《莫须有先生传》之《续行云章》(即单行本之《第十四章 这一章谈到一个聋子》),载上海《青年界》月刊第2卷第2期,署名废名。

9月22日

上午访周作人,下午离去(《周作人日记》下册,第307页)。

9月23日

中午访周作人(《周作人日记》下册,第307—308页)。

9月24日

上午访周作人(《周作人日记》下册,第308页)。

10月4日

周作人得废名信(《周作人日记》下册,第314页)。

10月5日

周作人寄信废名(《周作人日记》下册,第314页)。

10月10日

下午访周作人,晚上离去(《周作人日记》下册,第316页)。

10月14日

周作人寄信废名(《周作人日记》下册,第318页)。

10月15日

下午访周作人,晚上8时离去(《周作人日记》下册,第319页)。

10月18日

下午访周作人,晚上7时离去(《周作人日记》下册,第320页)。

10月20日

下午访周作人,"云移居东老胡同十号",晚上7时离去(《周作人日记》下册,第321页)。

10月23日

下午访周作人,晚上离去(《周作人日记》下册,第322页)。

10月24日

周作人寄信废名(《周作人日记》下册,第323页)。

10月29日

下午访周作人,晚上8时离去(《周作人日记》下册,第326页)。

10月30日

下午访周作人,晚上8时半离去。俞平伯、沈启无在座(《周作人日记》下册,第326页)。

11月1日

发表长篇小说《桥》下卷之第1章《水上》和第2章《钥匙》,载上海《新月》月刊第4卷第5期,署名废名。正文前有编者按。存手稿。

11月2日

下午访周作人,晚上8时离去(《周作人日记》下册,第328页)。

11月9日

下午访周作人,晚上8时离去(《周作人日记》下册,第332页)。

11月14日

周作人寄信废名(《周作人日记》下册,第334页)。

11月15日

下午访周作人,晚上8时离去(《周作人日记》下册,第335页)。

11月17日

周作人寄信废名(《周作人日记》下册,第336页)。

11月19日

下午访周作人,晚上8时离去(《周作人日记》下册,第337页)。

11月20日

鲁迅致许广平信中说:"周岂明颇昏,不知外事,废名是他荐为大学讲师的,所以无怪攻击我,狗能不为其主人吠乎?"(《鲁迅全集》第12卷,第342页)

同日

陪同周作人,将若子安葬于北京西郊板井村坟地。

11月23日

周作人致废名信(《周作人书信》,第225页)。

11月25日

下午访周作人,晚上离去(《周作人日记》下册,第340页)。

11月30日

下午访周作人,晚饭后离去(《周作人日记》下册,第343页)。

12月1日

下午访周作人(《周作人日记》下册,第344页)。

12月2日

周作人得废名信(《周作人日记》下册,第345页)。

12月3日

周作人寄信废名(《周作人日记》下册,第345页)。

12月4日

下午访周作人(《周作人日记》下册,第345页)。

12月8日

作《秋心遗著序》,载上海《现代》月刊1933年3月1日第2卷第5期,署名废名。后作为"序一",收入梁遇春遗著、开明书店1934年6月初版《泪与笑》。

12月10日

赠康嗣群《桃园》再版本(陈子善藏),扉页题"赠嗣群先生 著者二十一年十二月十日"。"著者"二字下钤马衡(叔平)所刻"废名"朱文印章。

12 月 12 日

周作人致废名信(《周作人书信》,第 226 页)。

12 月 16 日

下午访周作人,晚上 7 时离去(《周作人日记》下册,第 352 页)。

12 月 18 日

周作人寄信废名(《周作人日记》下册,第 353 页)。

12 月 21 日

下午访周作人,晚上离去(《周作人日记》下册,第 354 页)。

12 月 27 日

下午访周作人,晚上离去(《周作人日记》下册,第 357 页)。

12 月 28 日

作《纺纸记》前记,载上海《新月》月刊 1933 年 3 月 1 日第 4 卷第 6 期,署名废名。

12 月

长篇小说《莫须有先生传》,由开明书店出版,署名废名。全书共 15 章,其中第 10 章、第 15 章未曾单独发表。书首有岂明(周作人)《序》和废名《序》,均未列入目录。

目录:《第一章　姓名　年龄　籍贯》《第二章　莫须有先生下乡》《第三章　花园巧遇》《第四章　莫须有先生不要提他的名字》《第五章　莫须有先生看顶戴》《第六章　这一回讲到三脚猫》《第七章　莫须有先生画符》《第八章　续讲上回的事情》《第九章　白丫头唱个歌儿》《第十章　莫须有先生今天写日记》《第十一章　莫须有先生写情书及其他》《第十二章　月亮已经上来了》《第十三章　这一章说到不可思议》《第十四章　这一章谈到

一个聋子》《第十五章 莫须有先生传可付丙》。

本年

书赠俞平伯联语"可爱春在一古树,相喜年来寸心知"(《"古槐梦遇"小引》,《古槐梦遇》,上海世界书局 1936 年版)。书赠徐祖正联语"万竹欲扫明月意,一树不说梅花心"。书赠程鹤西联语"看得梅花忘却月,可怜人影不知香",上钤齐白石所刻"废名"朱文印章,联上题记:"人道同衾还隔梦,世间只有情难懂。然则必有异梦而同者矣,斯则可悲。"(鹤西:《序》,《纺纸记》,珠海出版社 1997 年版)

1933 年(民国二十二年 癸酉) 33 岁

1月2日

周作人"代废名收开明寄《莫须有先生传》二十册"(《周作人日记》下册,第362页)。

1月3日

周作人寄信废名,并得废名信(《周作人日记》下册,第362—363页)。

1月12日

赵循伯发表《废名》,载重庆《新蜀报·新蜀报副刊》第 216 期。

1月13日

中午访周作人,下午离去(《周作人日记》下册,第367页)。

1月26日

上午访周作人,下午离去。周作人"以遗山文集一部赠之"(《周作人日记》下册,第373页)。

1月28日

　　中午访周作人,下午离去(《周作人日记》下册,374页)。

1月30日

　　周作人得废名信(《周作人日记》下册,第375页)。

1月31日

　　周作人致废名信(《周作人书信》,第227—228页)。

2月1日

　　周作人得废名信(《周作人日记》下册,第377页)。

2月2日

　　下午访周作人,晚上8时离去(《周作人日记》下册,第377页)。

2月3日

　　周作人得废名信(《周作人日记》下册,第377页)。

2月4日

　　中午访周作人,下午离去(《周作人日记》下册,第378页)。

2月7日

　　周作人寄信废名(《周作人日记》下册,第379页)。

2月9日

　　上午访周作人,俞平伯、叶公超在座(《周作人日记》下册,第380页)。

2月12日

　　上午访周作人,下午离去(《周作人日记》下册,第382页)。

2月18日

　　上午访周作人,下午离去(《周作人日记》下册,第384页)。

2月21日

周作人致废名信(《周作人书信》第229页)。

同日

周作人得废名信(《周作人日记》下册,第386页)。

2月22日

致周作人信,署名废(原件藏周作人后人处)。

同日

周作人为废名转去开明函。晚上访周作人,8时离去。周作人赠《初期白话诗稿》一册(《周作人日记》下册,第386页)。

同日

周作人得废名信(《周作人日记》下册,第386页)。

3月1日

发表长篇小说《纺纸记》(楔子),正文前有1932年12月28日所作"前记",载上海《新月》月刊第4卷第6期,署名废名。

同日

下午访周作人,晚上8时半离去(《周作人日记》下册,第390页)。

3月5日

下午访周作人,晚饭后离去(《周作人日记》下册,第392页)。

3月8日

周作人寄信废名(《周作人日记》下册,第393页)。

3月9日

周作人得废名信(《周作人日记》下册,第394页)。

3月11日

下午访周作人,晚上9时离去(《周作人日记》下册,第395页)。

3月16日

　　下午访周作人,晚上8时半离去。沈启无在座(《周作人日记》下册,第397页)。

3月18日

　　周作人得废名信(《周作人日记》下册,第398页)。

3月19日

　　上午访周作人,下午离去。俞平伯、沈启无在座(《周作人日记》下册,第398页)。

3月26日

　　下午访周作人,周作人赠《知堂文集》一册(《周作人日记》下册,第402页)。

3月28日

　　周作人寄信废名,并得废名信(《周作人日记》下册,第403页)。

3月30日

　　下午访周作人,晚上离去(《周作人日记》下册,第404页)。

同日

　　周作人寄信废名(《周作人日记》下册,第404页)。

3月31日

　　下午访周作人,晚上8时半离去(《周作人日记》下册,第404页)。

4月1日

　　周作人寄信废名(《周作人日记》下册,第405页)。

4月3日

　　周作人寄信废名(《周作人日记》下册,第406页)。

4 月 4 日

下午访周作人，晚上 8 时半离去(《周作人日记》下册，第 406 页)。

4 月 5 日(清明)

上午访周作人，随周作人一家往板井村祭奠若子(《周作人日记》下册，第 407 页)。

4 月 8 日

下午访周作人，晚上 8 时离去(《周作人日记》下册，第 408 页)。

4 月 11 日

周作人寄信废名(《周作人日记》下册，第 410 页)。

4 月 12 日

周作人得废名信(《周作人日记》下册，第 410 页)。

4 月 15 日

与顾颉刚、袁家骅、孙琦瑛等同游西山(《顾颉刚日记》第 3 卷，台湾联经出版公司 2007 年版，第 34 页。后文仅著录书名、卷数、页码)。

4 月 16 日

下午访周作人，晚上 8 时后离去。周作人赠大觉寺所买蒲团一个(《周作人日记》下册，第 412 页)。

4 月 17 日

周作人寄信废名(《周作人日记》下册，第 412 页)。

4 月 19 日

下午访周作人(《周作人日记》下册，第 413 页)。

4 月 21 日

周作人得废名信(《周作人日记》下册，第 415 页)。

4月23日

上午访周作人,下午离去(《周作人日记》下册,第415页)。

5月2日

晚上访周作人,8时离去(《周作人日记》下册,第420页)。

5月6日

作《"古槐梦遇"小引》,载北平《华北日报·每周文艺》1934年1月9日第5期,署名废名。又载奉天《盛京时报》1934年1月20日《另外一页》,署名废名。收入俞平伯著、上海世界书局1936年1月初版《古槐梦遇》,题为"古槐梦遇小引",系据手迹影印。

同日

下午访周作人,晚上8时半离去(《周作人日记》下册,第422页)。

5月11日

周作人寄信废名(《周作人日记》下册,第425页)。

5月14日

上午访周作人,下午离去(《周作人日记》下册,第426页)。

5月22日

下午访周作人(《周作人日记》下册,第430页)。

5月23日

下午访周作人(《周作人日记》下册,第431页)。

5月24日

下午访周作人(《周作人日记》下册,第431页)。

5月25日

上午访周作人,周作人为其兄冯力生写扇两面(《周作人日记》

下册,第 432 页)。

5 月 26 日

上午访周作人,说"明日南返"。周作人"以扇面等与之"(《周作人日记》下册,第 432 页)。

5 月 27 日

周作人得废名信(《周作人日记》下册,第 433 页)。

5 月 28 日

周作人寄信废名(《周作人日记》下册,第 433 页)。

6 月 1 日

发表长篇小说《桥》下卷之第 3 章《窗》,载上海《新月》月刊第 4 卷第 7 期,署名废名。存手稿。

6 月 6 日

周作人寄信废名(《周作人日记》下册,第 437 页)。

6 月 8 日

周作人得废名信(《周作人日记》下册,第 438 页)。

6 月 15 日

周作人得废名信(《周作人日记》下册,第 442 页)。

6 月 18 日

周作人寄信废名(《周作人日记》下册,第 443 页)。

6 月 28 日

周作人得废名信(《周作人日记》下册,第 449 页)。

6 月

长篇小说《莫须有先生传》由上海开明书店再版,署名废名。

6 月

　　短篇小说集《桃园》,由上海开明书店 4 版,署名废名。

6 月

　　长篇小说《桥》,由上海开明书店再版,署名废名。

7 月 6 日

　　周作人寄信废名(《周作人日记》下册,第 453 页)。

7 月 16 日

　　周作人寄信废名(《周作人日记》下册,第 458 页)。

7 月 19 日

　　周作人寄信废名(《周作人日记》下册,第 459 页)。

7 月 25 日

　　周作人得废名信(《周作人日记》下册,第 462 页)。

同日

　　周作人作《废名所藏苦雨斋尺牍跋》,载上海《人间世》半月刊 1934 年 5 月 20 日第 4 期,列为《苦茶庵小文》之"六"。

7 月 26 日

　　周作人寄信废名(《周作人日记》下册,第 463 页)。

7 月 31 日

　　周作人"上午寄废名书信一册"(《周作人日记》下册,第 465 页)。

7 月

　　《周作人书信》由上海青光书局出版,内收 1928 年到 1933 年间致废名书信 17 封。其中 1928 年 2 封,1929 年 1 封,1930 年 2 封,1931 年 6 封,1932 年 4 封,1933 年 2 封。

7月

朱光潜结束八年的留学生活回国,住在地安门里的慈慧殿三号,发起并组织"读诗会",至1937年7月止。"读诗会"每月举行一至两次,废名是"读诗会"的常客。

8月2日

周作人寄信废名(《周作人日记》下册,第466页)。

8月3日

周作人得废名信(《周作人日记》下册,第467页)。

8月4日

周作人寄信废名(《周作人日记》下册,第468页)。

8月8日

周作人寄信废名(《周作人日记》下册,第470页)。

8月9日

周作人得废名信(《周作人日记》下册,第470页)。

8月10日

周作人寄信废名(《周作人日记》下册,第471页)。

8月18日

周作人得废名信(《周作人日记》下册,第475页)。

同日

周作人寄信废名(《周作人日记》下册,第475页)。

8月21日

周作人寄信废名(《周作人日记》下册,第477页)。

8月22日

周作人寄信废名(《周作人日记》下册,第477页)。

8月24日

周作人得废名信(《周作人日记》下册,第478页)。

9月3日

上午访周作人,赠酒、茶叶等。下午与周作人等共饮生啤酒一升。晚上9时半离去。俞平伯、沈启无、徐祖正等在座(《周作人日记》下册,第483—484页)。

9月4日

下午访周作人,又赠腌鲫六尾、点心二包,并告之"将定居黄化门内纳福胡同九号"(《周作人日记》下册,第484—485页)。

9月6日

晚访周作人(《周作人日记》下册,第485页)。

9月8日

上午访周作人,取行李。周作人赠以方桌一张(《周作人日记》下册,第486页)。

9月12日

周作人得废名信(《周作人日记》下册,第488页)。

9月17日

下午访周作人,"取尺牍册去"(《周作人日记》下册,第491页)。

9月20日

周作人得废名信(《周作人日记》下册,第492页)。

9月21日

周作人寄信废名(《周作人日记》下册,第493页)。

9月24日

下午访周作人(《周作人日记》下册,第495页)。

9月26日

上午访周作人(《周作人日记》下册,第495页)。

同日

周作人寄信废名(《周作人日记》下册,第495页)。

10月1日

梁秉宪发表《废名的莫须有先生传》,载南京《图书评论》月刊第2卷第2期。

10月3日

周作人寄信废名(《周作人日记》下册,第499页)。

10月4日

周作人得废名信(《周作人日记》下册,第499页)。

10月5日

下午访周作人,"赠素菜一器",晚饭后离去(《周作人日记》下册,第500页)。

10月11日

周作人得废名信(《周作人日记》下册,第503页)。

10月13日

周作人得废名信(《周作人日记》下册,第504页)。

10月14日

周作人寄信废名(《周作人日记》下册,第504页)。

10月16日

周作人得废名信(《周作人日记》下册,第505页)。

10月21日

周作人寄信废名(《周作人日记》下册,第507页)。

同日

下午访周作人,周作人转交沈从文信,晚饭后离去(《周作人日记》下册,第 507 页)。

10 月 22 日

参加《大公报·文艺副刊》在北海漪澜堂举行的午宴,周作人、俞平伯、杨振声、沈从文、朱光潜、余上沅、郑振铎等在座(《周作人日记》下册,第 508 页)。

10 月 25 日

周作人寄信废名(《周作人日记》下册,第 509 页)。

10 月 28 日

周作人得废名信(《周作人日记》下册,第 511 页)。

同日

上午访周作人,下午 6 时离去。沈启无、叶公超在座(《周作人日记》下册,第 512 页)。

10 月 31 日

周作人得废名信(《周作人日记》下册,第 513 页)。

11 月 1 日

发表小说《芭蕉梦》,载天津《大公报·文艺副刊》第 12 期,署名废名。又载大连《泰东日报》1937 年 11 月 18 日第 9504 号,署名废名。

同日

灌婴(余冠英)发表《评废名君著〈桥〉》,载上海《新月》月刊第 4 卷第 5 期。

11月9日

　　周作人寄信废名(《周作人日记》下册,第518页)。

11月10日

　　柴扉发表《〈莫须有先生传〉的作者》,载上海《十日谈》旬刊第10期。

11月11日

　　得叶公超赠《桂游半月记》。

11月12日

　　周作人得废名信(《周作人日记》下册,第519页)。

11月13日

　　周作人寄信废名(《周作人日记》下册,第519页)。

11月15日、16日

　　炮手发表《周作人先生评"废名先生的创作":文章之美》,《时代日报·瀑布》。

11月17日

　　下午访周作人(《周作人日记》下册,第521页)。

11月26日

　　下午访周作人,晚饭后离去(《周作人日记》下册,第526页)。

11月28日

　　周作人来废名寓所看其女儿改男,并赠毛绒衣一件(《周作人日记》下册,第527页)。

11月29日

　　周作人得废名信(《周作人日记》下册,第528页)。

12月3日

上午访周作人,下午离去(《周作人日记》下册,第529页)。

12月10日

上午访周作人(《周作人日记》下册,第533页)。

12月20日

周作人寄信废名(《周作人日记》下册,第538页)。

12月24日

上午访周作人,下午离去(《周作人日记》下册,第541页)。

12月28日

致周作人信,署名文炳(原件藏周作人后人处)。

同日

周作人得废名信。

12月31日

下午访周作人,周作人赠日历一份(《周作人日记》下册,第544页)。

1934年(民国二十三年 甲戌) 34岁

1月1日

《文学季刊》创刊,郑振铎、章靳以编辑,由北平立达书局发行,出至第2卷第4期停刊。废名被列为108位"特约撰稿人"之一。

1月5日

翟永坤发表《古申的山色——兼呈废名兄》,载《北平晨报·北晨学园》第622号。

1月11日

下午访周作人(《周作人日记》下册,第552页)。

1月13日

周作人寄信废名(《周作人日记》下册,第553页)。

1月22日

周作人寄信废名(《周作人日记》下册,第557页)。

1月24日

周作人得废名信(《周作人日记》下册,第559页)。

2月1日

上午访周作人,下午离去(《周作人日记》下册,第564页)。

同日

致胡适信,署名废名(原件藏中国社会科学院中国历史研究院图书档案馆胡适档案内)。

2月4日

周作人得废名信(《周作人日记》下册,第565页)。

2月5日

周作人寄信废名(《周作人日记》下册,第566页)。

2月6日

下午访周作人,6时前离去(《周作人日记》下册,第566页)。

2月8日

上午访周作人,下午离去(《周作人日记》下册,第567页)。

2月9日

周作人寄信废名,又得废名信(《周作人日记》下册,第568页)。

2月10日

访周作人,周作人"以尹默所书字予之"(周作人请沈尹默为废名所书)(《周作人日记》下册,第568页)。

同日

周作人得废名信(《周作人日记》下册,第569页)。

2月11日

至德国饭店午餐,周作人、徐祖正、温源宁、朱光潜、梁宗岱、叶公超等在座(《周作人日记》下册,第569页)。

2月12日

周作人得废名信(《周作人日记》下册,第570页)。

2月15日

上午到周作人家拜年,下午离去(《周作人日记》下册,第571页)。

2月17日

周作人寄信废名(《周作人日记》下册,第572页)。

2月24日

下午访周作人,未遇(《周作人日记》下册,第576页)。

2月28日

上午访周作人,午饭后离去(《周作人日记》下册,第578页)。

3月1日

上午访周作人,下午离去(《周作人日记》下册,第579页)。

3月3日

周作人得废名信(《周作人日记》下册,第580页)。

3月7日

作《跋"落叶树"》,载上海《人间世》半月刊1934年4月5日第 1 期,原刊目录为"跋落叶树",署名废名。《落叶树》系程鹤西所作散文。废名为《人间世》半月刊特约撰稿人之一。

同日

上午访周作人,下午离去(《周作人日记》下册,第 582 页)。

3 月 14 日

上午访周作人,下午离去(《周作人日记》下册,第 586 页)。

3 月 19 日

上午访周作人(《周作人日记》下册,第 588 页)。

3 月 21 日

上午访周作人(《周作人日记》下册,第 589 页)。

3 月 23 日

作《读论语》前记,载上海《人间世》半月刊 1934 年 4 月 20 日第 2 期,署名废名。

3 月 31 日

下午访周作人,晚饭后离去(《周作人日记》下册,第 595 页)。

4 月 7 日

下午访周作人,晚上 11 时离去。徐祖正、钱玄同在座(《周作人日记》下册,第 598 页)。

4 月 8 日

上午访周作人(《周作人日记》下册,第 599 页)。

4 月 16 日

发表诗《花的哀怨》《玩具》,载北平《华北日报·文艺周刊》第 3 期,合题为"诗选之二",署名废名。

4月17日

　　下午访周作人(《周作人日记》下册,第602页)。

4月20日

　　发表散文《读论语》,载上海《人间世》半月刊第2期,署名废名。

4月21日

　　下午同沈启无访周作人,晚上9时后离去(《周作人日记》下册,第605页)。

4月28日

　　访周作人(《周作人日记》下册,第608页)。

5月1日

　　周作人寄信废名(《周作人日记》下册,第610页)。

5月2日

　　下午访周作人,晚上8时离去(《周作人日记》下册,第611页)。

5月12日

　　上午访周作人(《周作人日记》下册,第616页)。

5月14日

　　致胡适信,署名冯文炳(原件藏中国社会科学院中国历史研究院图书档案馆胡适档案内)。

同日

　　周作人得废名信(《周作人日记》下册,第617页)。

5月16日

　　上午访周作人,借《异名录》一部离去(《周作人日记》下册,第617页)。

5月18日

下午访周作人(《周作人日记》下册,第618页)。

本月

王中儒发表《关于废名君的"枣"》,载河北省省立天津中学校刊《铃铛》第3期。

6月1日

发表长篇小说《桥》下卷之第4章《荷叶》和第5章《无题》,载北平《学文》月刊第1卷第2期,署名废名。存手稿。

6月3日

上午访周作人,中饭后离去(《周作人日记》下册,第627页)。

6月7日

下午访周作人,晚饭后离去(《周作人日记》下册,第629页)。

6月8日

周作人得废名信(《周作人日记》下册,第629页)。

6月10日

周作人寄信废名(《周作人日记》下册,第630页)。

6月13日

周作人寄信废名(《周作人日记》下册,第632页)。

同日

下午访周作人,晚饭后离去(《周作人日记》下册,第632页)。

6月20日

晚访周作人,9时离去(《周作人日记》下册,第635页)。

6月25日

周作人寄信废名(《周作人日记》下册,第637页)。

6月26日

　　周作人寄信废名(《周作人日记》下册,第638页)。

同日

　　下午访周作人(《周作人日记》下册,第638页)。

6月28日

　　周作人寄信废名(《周作人日记》下册,第639页)。

6月30日

　　周作人得废名信(《周作人日记》下册,第640页)。

上半年

　　接妻女到北平,住地安门内北河沿甲十号。

7月14日

　　刘半农病逝。废名作挽联两副:"学问文章空有定论,声音笑貌愈觉相亲";"脱俗尚不在其风雅,殁世而能称之德行"。

7月28日

　　周作人访日期间,答日本记者井上红梅问,称废名是自己"在文坛上露头角的得意门生"之一(《周作人与日记者谈话摘录》,载上海《文学》月刊1934年9月第3卷第3期)。

7月

　　作散文《知堂先生》,载上海《人间世》半月刊1934年10月5日第13期"今人志"栏,署名废名。文前有林语堂按语。

8月2日

　　周作人寄信废名(《周作人日记》下册,第656页)。

8月8日

　　周作人寄信废名(《周作人日记》下册,第659页)。

8 月 10 日

　　周作人得废名信(《周作人日记》下册,第 660 页)。

同日

　　周作人在日本江之岛自制陶杯赠废名。杯身题"废名讲不甚喝茶却深知苦茶之味也壬〔甲〕戌八月十日游江之岛制此杯持赠废名兄",杯底印文"苦茶庵作"(原件藏废名后人处)。

8 月 11 日

　　周作人寄信废名(《周作人日记》下册,第 661 页)。

9 月 1 日

　　下午访周作人(《周作人日记》下册,第 671 页)。

9 月 3 日

　　上午访周作人,下午离去。俞平伯、沈启无在座(《周作人日记》下册,第 671 页)。

9 月 4 日

　　晚访周作人,10 时离去(《周作人日记》下册,第 671 页)。

9 月 11 日

　　中午应邀至淮杨春聚餐。周作人、俞平伯、沈启无等人在座。

9 月 12 日

　　周作人得废名信(《周作人日记》下册,第 675 页)。

9 月 14 日

　　上午访周作人(《周作人日记》下册,第 676 页)。

9 月 16 日

　　邀请周作人、俞平伯来寓所午餐(《俞平伯年谱》,第 170 页)。

9月20日

下午访周作人(《周作人日记》下册,第679页)。

9月30日

上午访周作人,下午离去(《周作人日记》下册,第684页)。

10月5日

上海《人间世》半月刊第13期刊登《冯文炳先生近影》(内页题作《冯文炳(废名)先生》)。

10月7日

下午访周作人,晚上9时离去。俞平伯在座(《周作人日记》下册,第688页)。

10月8日

周作人寄信废名(《周作人日记》下册,第689页)。

10月9日

评改徐芳诗《樱桃》。《樱桃》后载《北平晨报·北晨学园》1936年4月29日第939号,所用即为废名修改稿。

10月13日

程鹤西致废名信,信中附有赠诗2首,后题为《诗及信(一)》,载北平《水星》月刊1935年1月第1卷第4期。

同日

周作人寄信废名(《周作人日记》下册,第691页)。

10月14日

至北京大学第二院大礼堂参加刘半农追悼会。后同周作人、俞平伯、沈启无到外交部街王家饭店午餐,俞平伯作东(《周作人日记》下册,第692页)。

10月16日

作小诗一首。后以《诗及信》为题,载北平《水星》月刊1935年1月10日第1卷第4期,署名废名。收入诗文选集《招隐集》,题为"无题"。

10月17日

致程鹤西信,并附诗一首。后与11月16日致卞之琳信合题为"诗及信",载北平《水星》月刊1935年1月10日第1卷第4期,署名废名。

10月19日

周作人寄信废名(《周作人日记》下册,第694页)。

同日

上午访周作人,下午离去。俞平伯在座(《周作人日记》下册,第694页)。

10月22日

周作人寄信废名(《周作人日记》下册,第696页)。

10月25日

徐运北发表《废名先生的"知堂先生"》,载上海《中华日报·动向》。

10月26日

周作人得废名信(《周作人日记》下册,第698页)。

10月27日

周作人寄信废名(《周作人日记》下册,第699页)。

10月28日

上午同沈启无访周作人(《周作人日记》下册,第699页)。

10月

直入(鲁迅)作《势所必至,理有固然》,载《奔流新集》1934年11月19日第1辑《直入》。正文后有景宋(许广平)附记。

11月1日

周作人寄信废名(《周作人日记》下册,第702页)。

11月3日

B.P.发表《冯文炳的名字该废么?》,载北平《大学新闻》周报第2卷第8期。

11月5日

发表诗论《新诗问答》,载上海《人间世》半月刊第15期,目录署名废名,正文无署名。

11月7日

下午访周作人,晚上离去(《周作人日记》下册,第704页)。

11月12日

P.Y.发表《废名的废话》,载北平《大学新闻》周报第2卷第9期。

11月16日

致卞之琳信,并附诗一首。后以《诗及信》为题,载北平《水星》1935年1月10日第1卷第4期,署名废名。

同日

周作人寄信废名(《周作人日记》下册,第709页)。

11月17日

周作人寄信废名(《周作人日记》下册,第709页)。

11月20日

鑫鑫发表《冯文炳》,系《两个文人》之"(一)",载上海《十日谈》旬刊第44期。

11月25日

上午访周作人,下午离去,带走《夜读抄》一册(《周作人日记》下册,第713—714页)。

同日

周作人得废名信(《周作人日记》下册,第714页)。

12月5日

下午访周作人(《周作人日记》下册,第719页)。

12月12日

下午访周作人(《周作人日记》下册,第722页)。

12月17日

无聊斋主发表《废名的文章风格》,载上海《社会日报》。

12月18日

周作人寄信废名(《周作人日记》下册,第725页)。

12月20日

访周作人(《周作人日记》下册,第726页)。

1935年(民国二十四年 乙亥) 35岁

1月5日

在周作人家晚饭,同座者有钱玄同、俞平伯、沈启无等(杨天石主编:《钱玄同日记》,北京大学出版社2014年8月版,第1060页。后文仅著录书名、页码)。

1月22日

在清华园俞平伯家,与林庚、李长之聚谈(长之:《济南之行》,载北平《华北日报·每日文艺》1935年2月12日第71期)。

3月13日、14日

作杂感《关于派别》,载上海《人间世》半月刊1935年4月20日第26期,署名废名,正文后附林语堂《跋》。

3月17日

致林语堂信。

5月1日

发表诗《出门》,载天津《益世报·文学副刊》第9期,署名废名。

5月5日

牟尼(茅盾)针对废名《关于派别》一文发表《道在北平》,载上海《太白》半月刊第2卷第4期。

5月12日

俞平伯来访,并将一篇题为《葺芷缭蘅室古诗札记》托废名转交周作人阅正(《俞平伯年谱》,第177页)。

6月18日

俞平伯来访,托其将《〈牡丹亭〉赞之四》转交周作人(《俞平伯年谱》,第178页)。

6月21日

致周作人信两封,署名废(原件藏周作人后人处)。

6月24日

曾朴于6月23日逝世,废名作挽联:"名下士无虚擅文章仕学兼优丕显哉远绍南丰遗绪,小说林有几真美善父子合作今去也共悼东亚病夫。"收入1935年由曾朴家人印制的《曾公孟朴讣告》,署名冯文炳。

6月

鲁迅选编的《中国新文学大系·小说二集》由上海良友图书印刷公司出版,内收废名短篇小说《浣衣母》《竹林的故事》和《河上柳》。

7月3日

林庚发表诗《废名宅前》,载天津《益世报·文学副刊》第18期。

7月31日

儿子思纯(乳名毛燕)出生。

8月

周作人选编的《中国新文学大系·散文一集》由良友图书印刷公司出版,内收废名作品计6篇:《洲》《万寿宫》《笆茅》《"送路灯"》《碑》《茶铺》,均选自长篇小说《桥》。

9月

"中国文学珍本丛书"第1辑50种由上海杂志公司总发行。主编施蛰存,废名和周作人、胡适、俞平伯、朱自清等人任编委。

10月3日

上海《铁报·动与静》发表《周作人的三位高足:俞平伯·冯文炳·谢冰心》。

10月

朱自清选编的《中国新文学大系·诗集》由良友图书印刷公

司出版,内收废名诗《洋车夫的儿子》。

11月11日

吴文祺发表《"语丝"与"骆驼草"》,载上海《立报·言林》。

12月15日

发表《桥》下卷之第6章《行路》,载天津《大公报·文艺》第60期,署名废名。存手稿。

12月26日

应约至周作人家晚饭,同座者有钱玄同、俞平伯、沈启无、陈介白、章矛尘等(《钱玄同日记》,第1166页)。

本年

人间世社编小品文集《人间小品》由上海良友图书公司出版,内收废名《新诗问答》。

本年

开始习静坐。

1936年(民国二十五年 丙子) 36岁

1月2日(腊八节)

为俞平伯《槐屋梦寻》作序。《槐屋梦寻》未出版,书稿及废名序已散佚。

1月3日

俞平伯得废名信(《俞平伯年谱》,第181页)。

4月25日

至朱光潜家,参加诵诗会。同会者有周作人、朱自清、沈从文、林徽音、李素英、徐芳、梁宗岱、卞之琳等20人(《顾颉刚日记》第

3卷,第468页)。

4月29日

致朱英诞信,载北平《新北京报·新文艺》1939年8月11日第16期,署名废名。

5月1日

作诗《理发店》,载上海《新诗》月刊1936年12月10日第1卷第3期,与《北平街上》《飞尘》合题为"诗三首",署名废名。

5月3日

作诗《北平街上》,载上海《新诗》月刊1936年12月10日第1卷第3期,与《理发店》《飞尘》合题为"诗三首",署名废名。

同日

致朱英诞信,载北平《新北京报·新文艺》1939年8月11日第16期,署名废名。

5月4日

致陶亢德信,载上海《宇宙风》半月刊1936年6月16日第19期,题为"北平通信",署名废名。

5月

鲁迅同斯诺谈话,把废名归入"无党派浪漫主义"之列(斯诺整理,安危译:《鲁迅同斯诺谈话整理稿》,《新文学史料》1987年第3期)。

9月25日

下午访俞平伯,"以新短文见示",后一同访朱自清(《秋荔亭日记》,《俞平伯全集》第10卷,第231页)。

9月27日

访周作人,偕周作人及其家人至西来顺午餐。俞平伯等在座。

10月1日

发表散文《蝇》,载北平《世界日报·明珠》(原刊未标期号,此期循例应为第1期),署名废名。

10月2日

发表散文《莫字》,载北平《世界日报·明珠》(原刊未标期号,此期循例应为第2期),署名废名。

10月4日

发表散文《志学》,载北平《世界日报·明珠》(原刊未标期号,此期循例应为第4期),署名冯文炳。

10月5日

发表散文《三竿两竿》,载北平《世界日报·明珠》(原刊未标期号,此期循例应为第5期),署名废名。又载新乡《豫北日报·苦茶》1936年10月15日第8期,署名废名。

同日

俞平伯"灯下作废名书,约其迟日随知堂师来也"(《秋荔亭日记》,《俞平伯全集》第10卷,第233页)。

10月8日

发表散文《水浒第十三回》,载北平《世界日报·明珠》(原刊未标期号,此期循例应为第8期),署名废名。

10月9日

应邀至清华园俞平伯寓所午餐。周作人、林庚、沈启无在座(《秋荔亭日记》,《俞平伯全集》第10卷,第234页)。

10月11日

发表散文《无题》,载北平《世界日报·明珠》第11期,署名废名。

同日

访周作人。中午,周作人"命餐于西安门外之香积园"。俞平伯、沈启无等在座(《秋荔亭日记》,《俞平伯全集》第10卷,第234页)。

10月14日、15日

平伯(俞平伯)发表《谈清真醉桃园和废名》,载《世界日报·明珠》第14期、第15期。

10月16日

发表散文《孔子说诗》,载北平《世界日报·明珠》第16期,署名废名。此文是读周作人散文集《苦竹杂记》中《郝氏说〈诗〉》后所作。

10月19日

鲁迅在上海病逝。

10月20日

发表散文《陶渊明爱树》,载北平《世界日报·明珠》第20期,署名废名。

10月23日

作诗《飞尘》,载上海《新诗》月刊1936年12月10日第1卷第3期,与《理发店》《北平街上》合题为"诗三首",署名废名。存手稿。

10月25日

应林庚之约,至东安市场森隆饭店。在座有周作人、徐祖正、章廷谦、俞平伯(《秋荔亭日记》,《俞平伯全集》第 10 卷,第 236 页)。

10 月 26 日

发表散文《如切如磋》,载北平《世界日报·明珠》第 26 期,署名废名。

10 月 31 日

发表散文《陈亢》,载北平《世界日报·明珠》第 31 期,署名废名。此文是读《论语》"季氏篇"第 13 章后所作。

11 月 1 日

发表散文《钓鱼》,载上海《宇宙风》半月刊第 28 期,署名废名。

11 月 3 日

朱英诞来访,送两册诗稿(即《小园集》,未出版),并请废名作序。

同日

作《小园集序》,载上海《新诗》月刊 1937 年 1 月 10 日第 1 卷第 4 期,署名废名。

11 月 6 日

发表散文《中国文章》,载北平《世界日报·明珠》第 37 期,署名废名。又载北平《平明日报·星期艺文》1948 年 1 月 11 日第 38 期,署名废名。

11 月 8 日

访周作人,未遇,晤俞平伯。

11 月 9 日

发表散文《孔门之文》,载北平《世界日报·明珠》第 40 期,署名废名。

11月13日

为林庚诗集《冬眠曲及其他》作序,署名废名。收入北平风雨诗社1937年初藏版《冬眠曲及其他》。

11月15日

发表散文《女子故事》,载北平《世界日报·明珠》第46期,署名废名。又载《武汉日报·今日谭》1936年11月19日第264号,署名废名。又载北平《平明日报·星期艺文》1948年1月25日第40期,署名废名。

同日

作诗《二十五年十一月十五日北平初冬大雪后夜半作是日鹤西回保定。》,载上海《宇宙风》半月刊1937年1月16日第33期插页,系据手迹影印。家藏稿题为"二十五年十一月十五日北平初冬大雪后,夜半作。是日鹤西回保定。"

同日

访俞平伯。约俞平伯至德国饭店午餐(《秋荔亭日记》,《俞平伯全集》第10卷,第240页)。

11月18日

发表散文《神仙故事(一)》,载北平《世界日报·明珠》第49期,署名废名。

11月22日

发表散文《永远是黑暗和林庚》,载北平《世界日报·明珠》第53期,署名废名。此文是读林庚《"光明在前面"》后所作。

11 月 24 日

作《琴序》,载上海《宇宙风》半月刊1937年3月16日第37期,署名废名。存手稿。

11 月 29 日

发表散文《神仙故事(二)》,载北平《世界日报·明珠》第60期,署名废名。

12 月 5 日

发表散文《赋得鸡》,载北平《世界日报·明珠》第65期(原刊期号有误,应为第66期),署名废名。

12 月 6 日

发表散文《偶感》,载北平《世界日报·明珠》第66期(原刊期号有误,应为第67期),署名废名。此文是读周作人《希腊人的好学》后所作。

12 月 11 日

发表散文《金圣叹的恋爱观》,载北平《世界日报·明珠》第71期(原刊期号有误,应为第72期),署名废名。又载新乡《豫北日报·苦茶》1936年12月23日第60期,署名废名。

12 月 17 日

发表散文《贬金圣叹》,载北平《世界日报·明珠》第77期(原刊期号有误,应为第78期),署名废名。

12 月 18 日

下午访俞平伯(《秋荔亭日记》,《俞平伯全集》第10卷,第245页)。

12 月 19 日

作诗《十二月十九夜》,载朱光潜主编上海《文学杂志》1937

年6月1日第1卷第2期,与《宇宙的衣裳》《喜悦是美》合题为"诗三首",署名废名。存手稿。

12月20日

应俞平伯之约,至同和居午餐。周作人、沈启无、林庚等在座(《秋荔亭日记》,《俞平伯全集》第10卷,第245页)。

12月27日

发表散文《诗与词》,载北平《世界日报·明珠》第88期,署名废名。这是废名在《世界日报·明珠》上发表的最后一篇散文。

12月28日

烈武发表《废名的怪癖:发明一种"方城三人战" 每次总是弄得面红耳赤》,载上海《社会日报》。

寒假

母亲患病,返黄梅省亲。卞之琳、何其芳曾借住其北河沿寓所。

本年

Harold Acton 和 Chen Shih-hsiang(陈世骧)合译《中国现代诗选》(*Modern Chinese Poetry*)由伦敦 Duckworth 公司出版,内收废名《论现代诗》(英译题为 *On Modern Poetry—A Dialogue*)和《掐花》(*The Plucking of a Petal*)、《妆台》(*The Dressing-table*)、《海》(*The Sea*)、《花的哀怨》(*The Complaint of a Flower*)4首诗,署名 Fêng Fei-ming。

1937年(民国二十六年　丁丑)　37岁

1月1日

发表短文《二十五年我的爱读书》,载上海《宇宙风》半月刊第32期,署名废名。又载北平《华北日报·中国古占卜术研究》1937年5月5日第26辑,与章太炎《菿汉闲话》之一、周启明(作人)《瓜豆集》之《读〈七月在野〉》末段、俞平伯《来函》(参丙辑录)合题为"三代人言",署名废名。

1月8日

上海《电声》周刊第6卷第2期刊发《文坛怪人的怪事:废名的方城三人战》。

1月15日

访俞平伯,与之长谈(《秋荔亭日记》,《俞平伯全集》第10卷,第249页)。

1月16日

上海《宇宙风》半月刊第33期刊发《作家影像及手迹之八:废名先生》。照片为废名与其女儿合影,手迹系诗稿《二十五年十一月十五日北平初冬大雪后夜半作是日鹤西回保定。》。

1月16日

周作人生日,应约至其家晚饭,同座者有钱玄同、俞平伯、江绍原、林庚、徐祖正、沈启无、章矛尘、陈介白等(《钱玄同日记》,第1237页)。

1月22日

致周作人信,署名废(原件藏周作人后人处)。

2月

　　回黄梅。时华北局势渐紧。不久,留下妻儿,独自北返。

3月5日

　　下午访俞平伯(《俞平伯年谱》,第198页)。

3月10日

　　发表《诗二首》(《灯》和《星》),载上海《新诗》月刊第1卷第6期,署名废名。存手稿。

3月28日

　　在苦雨斋遇俞平伯,后同至欧亚饭店午餐(《秋荔亭日记》,《俞平伯全集》第10卷,第258页)。

3月29日

　　致朱英诞信,载北平《新北京报·新文艺》1939年8月11日第16期,署名废名。

4月1日

　　作诗《宇宙的衣裳》《喜悦是美》,载上海《文学杂志》月刊1937年6月1日第1卷第2期,与《十二月十九夜》合题为"诗三首",署名废名。存手稿。

4月10日

　　发表散文《罗袜生尘》,载上海《新诗》月刊第2卷第1期,署名废名。

4月29日

　　作诗《远天的星》,载《北平晨报·风雨谈》1937年5月18日第28期,署名废名。存手稿。

5月1日

《文学杂志》月刊在上海创刊,朱光潜主编,编委会始由周作人、叶公超、朱自清、废名、林徽因、沈从文、杨振声、朱光潜八人组成,后加上李健吾和陈西滢(后由凌叔华代替,一说冯至及其夫人姚可昆)。废名负责诗歌稿件的审阅。

同日

发表散文《随笔》,载上海《文学杂志》月刊创刊号,署名废名。

同日

作诗《小河》,载《北平晨报·风雨谈》1937年5月25日第31期,署名废名。存手稿。

5月7日

作诗《街头》,载上海《新诗》月刊1937年7月10日第2卷第3、4合期,与《寄之琳》合题为"诗二首",署名废名。

5月8日

作诗《寄之琳》,载上海《新诗》月刊1937年7月10日第2卷第3、4期合刊,与《街头》合题为"诗二首",署名废名。存手稿。

5月11日

致周作人信,署名文炳(据2017年6月4日"猗欤新命——纪念新文化运动100周年名人墨迹文献专场"拍卖图录)。

5月21日

到俞平伯寓所"谈道,并示以打坐时种种动止,至晚别去"(《秋荔亭日记》,《俞平伯全集》第10卷,第264页)。

5月26日

为赵巨渊题笺,署名废名。存手稿。

6月11日

访俞平伯,与之长谈(《秋荔亭日记》,《俞平伯全集》第10卷,第267页)。

6月13日

梁实秋采取"通信"的形式,以"一个中学教员"的身份,化名"絮如",在《独立评论》第238期发表《看不懂的新文艺》,批评卞之琳的四行小诗《第一盏灯》、何其芳的散文《扇上的云烟》是"糊涂的诗文"。主编胡适在"编辑后记"里对此"通信"作了回答,表示同意梁的观点。这场梁胡配合的双簧戏,轰动了北平学院派(京派)文艺界。周作人、沈从文在同一天,即1937年6月18日,给胡适写了公开信,表示不同意见。废名甚至气愤地亲自找到胡适的门上,"当面提出了强烈质问"(卞之琳:《追忆邵洵美和一场文学小论争》,《新文学史料》1989年第3期)。卞之琳的《第一盏灯》是经废名、朱光潜之手在1937年《文学杂志》创刊号上发表的。

7月1日

发表长篇小说《桥》下卷之第7章《萤火》,载上海《文学杂志》月刊第1卷第3期,署名废名。本章原拟于《文学杂志》第1卷第2期发表,"因为篇幅限制,暂时搁起"(《编辑后记》,上海《文学杂志》月刊1937年6月1日第1卷第2期)。存手稿。

同日

孟实(朱光潜)发表书评《桥》,载上海《文学杂志》月刊第1卷第3期。

7月7日

抗战全面爆发。北大分西北、西南两路内迁。学校规定,副教授以上人员随校内迁,讲师以下人员自行安排。废名是讲师,不在内迁人员之列。因交不起房租,遂住在雍和宫的喇嘛庙里。庙里有位和尚(法号"寂照")是湖北人,废名在武昌读书时就认识他。废名避难黄梅期间,非常挂念寂照和尚,曾多次致信朱英诞,请他代自己问讯寂照和尚。

7月8日

致卞之琳信,署名文炳(卞之琳:《冯文炳[废名]选集序》,《新文学史料》1984年第2期)。

7月13日

致朱英诞信,载北平《新北京报·新文艺》1939年8月11日第16期,署名废名。

7月17日

访俞平伯,未遇(《秋荔亭日记》,《俞平伯全集》第10卷,第273页)。

7月19日

邀请周作人、徐祖正、俞平伯、沈启无、钱玄同、林庚至北海仿膳聚餐(《秋荔亭日记》,《俞平伯全集》第10卷,第273页)。

8月1日

发表长篇小说《桥》下卷之第8章《牵牛花》,载上海《文学杂志》月刊第1卷第4期,署名废名。存手稿。

同日

鹤西(程侃声)发表《谈〈桥〉与〈莫须有先生传〉》,载上海《文学杂志》月刊第1卷第4期。

8月2日

下午访俞平伯,同至徐祖正家,遇江绍原(《秋荔亭日记》,《俞平伯全集》第 10 卷,第 275 页)。

8月10日

访俞平伯(《秋荔亭日记》,《俞平伯全集》第 10 卷,第 277 页)。

8月12日

下午访俞平伯,同至市场(《秋荔亭日记》,《俞平伯全集》第 10 卷,第 278 页)。

8月16日

致朱英诞信,载北平《新北京报·新文艺》1939 年 8 月 11 日第 16 期,署名废名。

8月23日

访俞平伯(《秋荔亭日记》,《俞平伯全集》第 10 卷,第 279 页)。

9月15日

周作人致废名信。

9月17日

访俞平伯(《秋荔亭日记》,《俞平伯全集》第 10 卷,第 283 页)。

10月4日

访俞平伯(《秋荔亭日记》,《俞平伯全集》第 10 卷,第 285 页)。

10月6日

下午电话约俞平伯至徐祖正家聚谈(《秋荔亭日记》,《俞平伯全集》第 10 卷,第 286 页)。

10月7日

访周作人(《秋荔亭日记》,《俞平伯全集》第 10 卷,第 286 页)。

10 月 10 日

到俞平伯寓所"谈道"(《秋荔亭日记》,《俞平伯全集》第 10 卷,第 286 页)。

10 月 24 日

访俞平伯(《秋荔亭日记》,《俞平伯全集》第 10 卷,第 288 页)。

10 月 26 日

母亲亡故。接到消息后,拟于 12 月 4 日奔母丧返黄梅。

11 月 1 日

下午应邀参加徐祖正的茶话会和宴请。周作人、俞平伯、沈启无在座(《秋荔亭日记》,《俞平伯全集》第 10 卷,第 290 页)。

11 月 6 日

傍晚访俞平伯(《秋荔亭日记》,《俞平伯全集》第 10 卷,第 291 页)。

12 月 2 日

下午往苦雨斋与周作人话别。

同日

俞平伯访废名,未遇。

12 月

奔母丧返黄梅。时交通大乱,历经艰辛至家。

本年

作散文《关于"夜半钟声到客船"》,载北平《平明日报·星期艺文》1947 年 1 月 5 日第 2 期,署名废名。

本年

作长篇小说《桥》下卷之第 9 章《蚌壳》,循例当刊上海《文学杂志》月刊 1937 年 9 月 1 日第 1 卷第 5 期。后《文学杂志》停刊,清样稿因之留在废名处。废名还写了第 10 章,有章序"十",无题名。未发表,存手稿。

1938 年(民国二十七年　戊寅)　38 岁

2 月 27 日

致朱英诞信,载北平《新北京报·新文艺》1939 年 8 月 18 日第 17 期,署名文炳。

3 月 6 日

周作人致废名信。

3 月 14 日

寄信周作人,说:"学生在乡下常无书可读,写字乃借改男的笔砚,乃近来常觉得自己有学问,斯则奇也。"(药堂:《怀废名》,《谈新诗》,北平新民印书馆 1944 年 11 月版)

5 月 6 日

致朱英诞信,载北平《新北京报·新文艺》1939 年 8 月 18 日第 17 期,署名文炳。

5 月 28 日

致朱英诞信,载北平《新北京报·新文艺》1939 年 8 月 18 日第 17 期,署名文炳。

6 月 28 日

中午,周作人邀请俞平伯、徐祖正、沈启无、钱玄同至北海仿膳饭庄聚餐。大家共同作书简,分寄南方的废名和林庚。

春夏之交

得卞之琳信及其与何其芳等人编辑的《工作》半月刊。读何其芳《论周作人事件》一文,始知周作人已附逆。

7月

中旬,日军约7万人向大别山南麓潜山、黄梅、广济进犯;下旬,日舰28艘炮击九江对岸小池口,并以飞机掩护海军陆战队登陆,小池口陷落。

8月4日

黄梅县城失陷,家中被洗劫一空。此前,废名已率妻子岳瑞仁、女儿冯止慈、儿子冯思纯躲避南乡吕家竹林。

1939年(民国二十八年 己卯) 39岁

夏

日军借口飞机失事,大规模骚扰黄梅,山区不得安宁。寄居东乡多云山程家新屋姑母家,距五祖寺十里许,曾与数人游五祖寺。

8月11日、18日

发表《冯文炳书简》,载北平《新北京报·新文艺》第16期、第17期,署名废名。所载书简共12通,其中第16期8通、第17期4通。第16期有副刊编辑李曼茵(黄雨)小"志":"最忠实于自己灵魂的废名先生的作品,多年不见了。这些短简,是他寄与朱英诞先生的。谢谢朱先生的盛意,他让我们知道冯先生平安,让我们在冷落的文苑里,竟得尝了一滴'竹青色的苦汁'!"

秋

携妻儿赴西北乡金家寨,任黄梅县第二小学(金家寨小学)五、六年级国文和自然教员,人称"冯二先生",月薪20元。先至腊树窠,后居停前镇龙锡桥一户农舍,借的是本家冯顺的房子,距小学不远。

时因交通阻隔,缺乏教材,拟自写,总题为《父亲做小孩子的时候》。由于工作量太大,仅写有一篇《五祖寺》。后改用编选方式,将战前教材中的好文章选编用以教学。

11月25日

芦沙发表《致废名》,载北平《沙漠画报》第2卷第44期。

1940年(民国二十九年 庚辰) 40岁

2月6日

作诗《人生》,载北平《平明日报·星期艺文》1948年6月7日第59期,署名废名。

2月8日(春节)前

携侄子冯健男同至距县城二里许的小道观紫云阁看望父亲。应道姑请求,作春联:"万紫千红皆不外明灯一盏,高云皓月也都在破衲半山。"此联收入《莫须有先生坐飞机以后》,列于莫须有先生名下。

2月

黄梅县立初级中学复学,校址在金家寨。原金家寨小学迁到停前周家祠堂。

3月19日

黄梅县县长陈宗猷训令黄梅县立初级中学校长熊惕非,委任废名为该校教员。废名改教中学英语,月薪40元,但仍有不少学生从其学国文(据黄梅县档案馆藏黄梅县立初级中学档案)。

7月

黄梅县立初级中学奉令更名为湖北省立联合中学鄂东中学分校黄梅分部。

夏

致俞平伯信。

9月28日

下午,出席湖北省立联合中学鄂东中学分校黄梅分部第一次校务会议,讨论"本学期各年级各科教学时数应如何分任"等事项。担任二、三年级及一年级下学期英语教员,每周各4小时(据黄梅县档案馆藏黄梅县立初级中学档案)。

10月16日

沈从文发表《习作举例·三 由冰心到废名》,载国立西南联大《国文月刊》第1卷第3期。

10月17日

上午,出席湖北省立联合中学鄂东中学分校黄梅分部第二次校务会议,讨论审定"本分部本学期贫苦生名额"等事项(据黄梅县档案馆藏黄梅县立初级中学档案)。

1941年(民国三十年 辛巳) 41岁

1月1日

下午,出席湖北省立联合中学鄂东中学分校黄梅分部第三次校务会议,讨论本学期何日开始期考、何日放假,下学期何日开学、各级学生应缴学费数目、应否续招新生等事项。会上,提出"增加教职员待遇"的临时协议(据黄梅县档案馆藏黄梅县立初级中学档案）。

同日

作论文《说种子》，论佛教阿赖耶识种子义。一份寄北平周作人，一份寄重庆熊十力，一份寄施南办农场的友人（一曰鹤西），皆得回信。后熊十力针对废名的观点，作《与冯君谈佛家种子义》，收入香港东昇印务局1949年12月初版《十力语要初续》。

春

随湖北省立联合中学鄂东中学分校黄梅分部迁往东山五祖寺，住在观音堂后殿二楼。平时与儿子住在一起，妻子、女儿仍住在龙锡桥。学校招考，得聘函，请他为国文科命题，他出的题目是"暮春三月"。

5月1日

出席湖北省立联合中学鄂东中学分校黄梅分部会议厅召开的中国国民党黄梅县第一直属区分部党员大会，推举本分部执行委员、本分部小组组长，议决开始征收党费时间、本分部设立地点等事项。废名被迫集体加入国民党，党证字号"楚字25325"（据黄梅县档案馆藏黄梅县立初级中学档案）。

6月20日

下午，出席湖北省立联合中学鄂东中学分校黄梅分部第五次校务会议，讨论本学期何日期考、何日放假、各科分数册何时送交教导处，下学期何日开学、添报新生应如何办理等事项（据黄梅县档案馆藏黄梅县立初级中学档案）。

6月30日

学校放假。

夏

湖北省立联合中学鄂东中学分校黄梅分部暑期扩充班次招考,新校长是冯文清。废名又受请出国文题,其试题是"水从山上下去,试替它作一篇游记"。

8月

湖北省立联合中学鄂东中学分校黄梅分部又奉令更名为湖北黄梅县立初级中学。

8月30日

下午,出席本学期湖北黄梅县立初级中学第一次校务会议,讨论本学期各年级各科教学时数表应如何分任、导师制应如何实施等事项(据黄梅县档案馆藏黄梅县立初级中学档案)。

9月1日

黄梅县立初级中学正式上课。担任二上、二下、三下英语教员,每周各4小时(据黄梅县档案馆藏黄梅县立初级中学档案)。

1942年(民国三十一年 壬午) 42岁

3月26日

向堂发表《"莫须有先生传"》,载杭州《浙江日报·江风》第236期。

春

得熊十力从重庆所寄新著《新唯识论》(上中卷)语体本。因熊氏反对唯识种子义,遂决定著《阿赖耶识论》以破之。

4月2日

晚,出席本学期黄梅县立初级中学第一次校务会议,讨论

"本校各级学生,上学期因受时局影响,各科课程,既未教学完竣,亦未举行期考,应如何设法补习及定期补考""本校上学期应届毕业生,既未会考,亦未举行毕业试验,应如何救济"、本学期各级课表、"宿松、广济、蕲春等县初级中学生,请求转入本校者,络绎不绝,应否收容""本校因校舍不敷应用,拟就教室为自习室,应如何轮流督导,以求周密""生活程度日高,本学期职教员及校工每日饭菜价额,应如何规定""本校学生,上学期多在校外租屋寄宿,不无流弊,本学期拟规定一律住校,以便管理"等事项(据黄梅县档案馆藏黄梅县立初级中学档案)。

5月22日

晚,出席本学期黄梅县立初级中学第二次校务会议,讨论"本校第6班上期应届毕业生去岁因交通梗阻未获参加毕业会考,应定何日举行考试""各科出题、阅卷及评定分数等,如何分别担任"等事项。会上议决自下学期起,学生学费改为缴纳食米(据黄梅县档案馆藏黄梅县立初级中学档案)。

7月

黄梅县县长田江昌派令冯力生为黄梅县立初级中学校长。

8月26日

上午,出席黄梅县立初级中学1942年度第一学期第一次校务会议,讨论"本届招考新生试卷,应否一律用密封,以重考试""新生试验各科试题、阅卷及评定分数等事应如何分别担任""新生试验各科分数应如何计算""各科试验时间,应如何规定""各科试卷应于何时评阅完竣以便早日榜示"等事项(据黄梅县档案馆藏黄梅县立初级中学档案)。

9月5日

黄梅县立初级中学新旧学生开始注册。女儿考上初中,举家迁至五祖寺。

9月7日

黄梅县立初级中学正式上课。

9月14日

下午,出席黄梅县立初级中学1942年度第一学期第二次校务会议,讨论"本学期各级课表""各级学生上期因受时局影响,未举行期考,请决定补考日期""本学期征收学生米斤,应如何分配""各级学生制服,布料颜色式样,应如何分别规定,以便学生自制"等事项(据黄梅县档案馆藏黄梅县立初级中学档案)。

9月19日

与本校教员廖居仁、岳文选、余旌等人联名上书黄梅县政府,就"校长谈本校奉令将续招新生一班"事表示异议(据黄梅县档案馆藏黄梅县立初级中学档案)。

10月16日

下午,出席黄梅县立初级中学1942年度第一学期第三次校务会议,讨论"添招新生试验各科试题、阅卷及评定分数应如何分别担任""下午第三次课特间拟规定为学生自修时间"等事项(据黄梅县档案馆藏黄梅县立初级中学档案)。

12月21日

在五祖寺观音堂作黄梅县立初级中学第七班毕业同学录序,载天津《大公报·星期文艺》1946年11月17日第6期,为《黄梅初级中学同学录序三篇》之"一",署名废名。又载上海《大公报·星期文艺》1946年11月17日第6期,署名废名。

冬

日军长期占领黄梅县城,炮击东山五祖寺,县立初中暂时解散。全家迁居东山脚下的小山村水磨冲,住在一户人家的牛棚里。开始著《阿赖耶识论》。

1943年(民国三十二年 癸未) 43岁

春

县立初中复学,迁古角山的北山寺(宝相寺)、南山寺(灵峰寺)。校本部设在北山寺,废名则在校分部南山寺,教英文和国语。家在离县城十里的冯仕贵祖祠堂,距南山寺有40余里。北山寺有一中年和尚,南山寺有一老年和尚,废名常与他们往来。

3月15日

药堂(周作人)作《怀废名》,载南京《古今》半月刊1943年4月16日第20、21期合刊。

6月1日

在黄梅什村庙冯仕贵祖祠堂作黄梅县立初级中学第八班毕业同学录序,载天津《大公报·星期文艺》1946年11月17日第6期,为《黄梅初级中学同学录序三篇》之"二",署名废名。又载上海《大公报·星期文艺》1946年11月17日第6期,署名废名。黄梅县档案馆藏"湖北黄梅县立初级中学第八班毕业同班录"(1943年7月),废名所作序,即为此篇。

暑假

住在南山寺,为学生补习功课。

9月

发表诗论《新诗应该是自由诗》,载北平《文学集刊》(沈启无主编)第1辑,署名废名。

9月

沈启无在《文学集刊》第1辑上发表《闲步庵书简钞》,在致朱英诞信中多次谈及废名,流露出对废名的怀念、关切之情。

10月8日

文星发表《废名的怪癖》,载上海《国报周刊》第3期。

10月28日

父亲病逝。后曾请熊十力和俞平伯为其父撰墓志。

10月

出席黄梅县立初级中学1943年度第一学期第一次校务会议,讨论"本校三十一年上期一上学生因学校停顿转入宿松县中肄业现本校复课应令复校一案应如何办理""本学期各级功课应如何分别担任""各级导师应如何聘任"等事项。废名担任二下导师,并二上、二下英语教员,每周12小时,月薪180元(据黄梅县档案馆藏黄梅县立初级中学档案)。

11月1日

《艺文杂志》月刊第1卷第5期刊发《废名先生赠呈苦雨翁的照片及对联》。照片共两张,一张右侧有周作人题字:"十九年十二月十二日废名兄赠,系其三十岁纪念也。岂明记。"另一张左旁有废名题字:"夫子哂之。距那年在武昌第一次通信大约八年矣。废名。十八年六月十三日。"并钤"废名"朱文印章。对联为:"微言欣其知之为诲,道心恻于人不胜天。"另有《艺文杂志》

编者附言。

11月15日、16日、17日、18日

湘波发表《论冯废名》，载上海《新申报·北斗》。

1944年(民国三十三年 甲申) 44岁

1月

发表论文《已往的诗文学与新诗》，载北平《文学集刊》第2辑，署名废名。

3月26日

上午，出席黄梅县立初级中学1943年度第二学期第一次校务会议，讨论"本学期各级课表""各级导师应如何聘定""上期学期试验各级学生有因学科不及格应予补考者应如何分别补考""各级学生学业成绩及操行成绩应如何切实考核"等事项。废名担任三上导师(据黄梅县档案馆藏黄梅县立初级中学档案)。

4月10日

白药(朱英诞)发表《水边集序》，载北平《文学集刊》第2辑。

4月20日

诗集《水边》(与开元合著)由北平新民印书馆印行，共收诗33首。本书分前后两部，前部题为《飞尘》，计3辑，收废名诗16首；后部题为《露》，收开元诗17首。代序《怀废名》诗系沈启无所写，序诗前标明"印这诗集是一个纪念"。环衬页正面有废名近影及其诗稿《飞尘》手迹。

本集收废名诗：《妆台》《壁》《海》《掐花》《画》《无题》《飞尘》《理发店》《街上》(即《北平街上》)、《街头》《寄之琳》《灯》《星》《十二月十九夜》《宇宙的衣裳》《喜悦是美》。

5月22日

《无锡日报·白鹅》第10号发表《文人浮雕——废名》。

5月

周作人寄一明信片给废名,试探其近况(知堂:《序》,《谈新诗》,新民印书馆1944年11月版)。

6月25日

发表诗《偶成》,载上海《诗领土》月刊第3号(5、6月合刊),与《亚当》合题为"废名诗抄",署名废名。又载上海《风雨谈》月刊1944年8月9日第14期,署名废名。存手稿。

6月

复信周作人,谓"此学校是初级中学,因为学生都是本乡人,虽是新制,稍具古风,对于先生能奉薪米,故生活能以维持也。小家庭在离城十五里之祠堂,距学校有五十里,且须爬山,爬虽不过五里,五十里惟以此五里为畏途耳"(知堂:《序》,《谈新诗》,新民印书馆1944年11月版)。

7月2日

上午,出席黄梅县立初级中学1943年度第二学期第二次校务会议,讨论"学期试验日期应如何决定""学期试验各科试验时间应如何规定""学生升留级应如何规定""学生操行成绩应如何切实考查"等事项(据黄梅县档案馆藏黄梅县立初级中学档案)。

夏

县里的国民党、三青团认为南、北山寺地处深山,县中学在此开办,难免受共产党、新四军的影响,遂责令学校搬迁到山下的李家庙和李家花屋。李家庙为校本部,废名住在分部李家花屋。

8月27日

黄梅县立初级中学开学。

8月28日

黄梅县立初级中学正式上课。废名被聘为专任教员兼年级导师(据黄梅县档案馆藏黄梅县立初级中学档案)。

9月14日

上午,出席黄梅县立初级中学1944年度第一学期第一次校务会议,讨论"本学期各级课表""新生试验各科分数应如何计算""新生体格检查应如何办理"等事项(据黄梅县档案馆藏黄梅县立初级中学档案)。

11月

诗论《谈新诗》作为艺文社"艺文丛书"第5种,由北平新民印书馆印行,署名冯文炳。知堂(周作人)序,黄雨(李曼茵)跋,另附周作人1943年3月15日所作《怀废名》。《谈新诗》是废名20世纪30年代在北京大学中文系开设"现代文艺"课时所写的讲义,共12章。1946年,废名返北大后,续写了《"十年诗草"》《林庚同朱英诞的诗》《十四行集》《关于我自己的一章》等4章。

目录:《序》(知堂);《一 尝试集》《二 "一颗星儿"》《三 新诗应该是自由诗》《四 已往的诗文学与新诗》《五 沈尹默的新诗》《六 扬鞭集》《七 鲁迅的新诗》《八 小河及其他》《九 草儿》《十 湖畔》《十一 冰心诗集》《十二 沫若诗集》;《附录 怀废名(药堂)》;《跋》(黄雨)。

12月21日

在黄梅停古乡李家花屋作黄梅县立初中第九班毕业同学录序,为《黄梅初级中学同学录序三篇》之"三",载天津《大公报·星期文艺》1946年11月17日第6期,署名废名。又载上海《大公报·星期文艺》1946年11月17日第6期,署名废名。黄梅县档案馆藏"湖北黄梅县立初级中学第九班毕业同班录",废名所作序,即为此篇。

1945年(民国三十四年　乙酉)　45岁

1月10日

作《黄梅初级中学二四区毕业同学所办怀友录序》,署名冯文炳,载北平《平明日报·星期艺文》1947年7月27日第14期,署名废名。黄梅县档案馆藏第十班部分同学所办"梅中怀友录",废名所作序,即为此篇。

1月21日

玳风发表书评《水边》,载北平《中华周报》第2卷第4期。

2月1日

路易士发表《从废名的"街头"说起》,载上海《文艺世纪》季刊第1卷第2期。

春

因校舍不能集中,管教困难,学生赌博,且与继任校长廖秩道办学思路不一,遂辞职,离开县立初中。在冯家祠办学馆,有不少学生慕名从其课学。

5月15日

诗文选集《招隐集》(开元编)由汉口大楚报社出版,署名废名。内收新诗15首、文8篇。

目录:《妆台》《壁》《海》《掐花》《画》《无题》《星》《灯》《寄之琳》《十二月十九夜》《街上》《理发店》《飞尘》《宇宙的衣裳》《喜悦是美》;《新诗问答》《新诗应该是自由诗》《已往的诗文学与新诗》《关于派别》《琴序》《钓鱼》《随笔》《读论语》。

8月15日

日本宣布无条件投降。

秋

完成《阿赖耶识论》,原计划写20章或更多,终得10章。1947年上半年,中国哲学学会曾有意付梓,但事不果行。今存手抄本2种:一藏废名后人处,稿本之序及正文第3章、第9章的一部分系废名的手迹,其余为冯健男抄写;此本一函一册,装帧精美,由俞平伯题签,上署"丁亥夏日　俞平伯题"。一藏北京大学图书馆,是废名和他的学生潘镇芳合抄的,也由俞平伯题签,上署"丁亥五月　槐居士平"。

目录:《序》;《第一章　述作论之故》《第二章　论妄想》《第三章　有是事说是事》《第四章　向世人说唯心》《第五章　"致知在格物"》《第六章　说理智》《第七章　破生的观念》《第八章　种子义》《第九章　阿赖耶识》《第十章　真如》。

1946年(民国三十五年　丙戌)　46岁

春

从山里返回黄梅县城。修建房屋,完工。为了生计,在县城与岳家湾中途的鸡鸣寺招徒教书。

5月

西南联合大学解散,北京大学迁回北平复校。

6月

朱光潜主编的《文学杂志》月刊复刊,从第2卷开始。

7月底

经俞平伯、杨振声、朱光潜向校长胡适、文学院院长汤用彤力荐,被北京大学聘为国文系副教授。

9月22日

致廖秩道信,署名冯文炳(原件藏湖北省黄梅县档案馆)。

9月23日

日下发表《废名的侄儿》,载上海《东南日报·长春》。

9月

由九江乘船至南京,通过叶公超之关系,探视关押在老虎桥监狱的周作人。后因火车不通,坐飞机抵北平。长篇小说《莫须有先生坐飞机以后》,即以其在黄梅避难生活为蓝本而创作。

到北大后,初住西语系教授袁家骅家(时袁夫人留学美国),后被学校安置在沙滩校园内蔡孑民先生纪念堂后面一排平房里居住,与熊十力、游国恩、阴法鲁等人为邻。

10月1日

致廖秩道信,署名冯文炳(原件藏湖北省黄梅县档案馆)。

10月10日

北京大学开学。本学期,与杨振声为中国文学系三、四年级学生合开必修课"英文文学选读",上课时间为每周一、三的第四、五节课,地点在"北20"教室(王学珍、郭建荣主编:《北京大学史料》

第 4 卷,北京大学出版社 2000 年 12 月版,第 490 页。后文仅著录书名、卷数、页码)。为中国文学系二、三、四年级学生开选修课"论语选",上课时间为每周五的第二、三、四节课,地点在"北22"教室(《北京大学史料》第 4 卷,第 492 页)。

10 月 16 日

黄皆令(黄裳)发表《关于废名》,载重庆《大公晚报·小公园》。又载上海《文艺春秋副刊》1947 年 3 月 15 日第 1 卷第 3 期。

11 月 8 日

作《黄梅初级中学同学录序三篇》前记,载天津《大公报·星期文艺》1946 年 11 月 17 日第 6 期,署名废名。又载上海《大公报·星期文艺》1946 年 11 月 17 日第 6 期,署名废名。

同日

作《父亲做小孩子的时候》附记,载天津《益世报·文学周刊》1946 年 11 月 16 日第 15 期,署名废名。

11 月 20 日

万柳发表《废名散文》,载《武汉日报·今日谈》。

12 月 1 日

发表杂感《响应"打开一条生路"》,载天津《大公报·星期文艺》第 8 期,署名废名。又载上海《大公报·星期文艺》1946 年 12 月 1 日第 8 期,署名废名。此文是读杨振声《我们要打开一条生路》(载天津《大公报·星期文艺》1946 年 10 月 13 日第 1 期)后所作。

12 月 14 日

少若(吴小如)发表《废名的文章》,载天津《益世报·文学周刊》第 19 期。又载上海《益世报·文学周刊》12 月 21 日第 3 期。

12 月 16 日

纪競发表《怀废名先生》,载天津《大公报·大公园地》第 117 号。

同日

佛雏(谭佛雏)针对废名《响应"打开一条生路"》发表《生路》,载上海《论语》半月刊第 119 期。

12 月 29 日

发表散文《树与柴火》,载北平《平明日报·星期艺文》创刊号,署名废名。

同日

接受北京大学学生访问。12 月 24 日,美国士兵皮尔逊强奸北京大学女生沈崇。27 日,北京大学学生成立"抗议美军暴行筹备会"。29 日,筹备会发动大规模访问教授活动,废名也在被访问之列(黎堡:《记北大学生大游行》,载上海《大公报·时代青年》1947 年 1 月 20 日第 15 期)。

同日

应北大学生之约,作关于新诗的公开演讲,讲题为《谈我自己的新诗》。1946 年 12 月 22 日,北大新诗座谈会定于每周星期日下午二时在北大礼堂举行,首次由冯至主讲,以后顺序为冯文炳、朱光潜、游国恩、闻家驷等(据 1947 年《北平大学日刊》)。一年半后,废名重写讲稿,曾以《新诗讲义——关于自己的一章》为题,发表在 1948 年 4 月 5 日《天津民国日报·文艺》第 120 期上。

1947年(民国三十六年 丁亥) 47岁

1月1日

卞之琳赠废名小说《桥》的精装本,扉页题:"1937年春离北平南归,在上海托巴金觅人特装此书,意备秋后北返时携赠作者。夏末战起,只身西行,书留健吾家,战后重见,竟仍无恙。今重莅旧地,废公已先至,宿愿得偿,其间忽忽已十年矣。"

1月3日

北京大学为废名出具"自民国二十年十一月至三十六年七月止任本校讲师"证明书,证字"157号"。

1月6日

北平《燕京新闻》记者发表走访燕京、清华、北大三校教授对美军污辱北大学生沈崇事件意见的谈话记录。废名主张:"罢课不要长期,行动要顾全周围的环境,因为现在的中国政府还是走歪曲的道路。"(《教授发表意见支持学生行动》,载北平《燕京新闻》周报1947年1月6日第13卷第8期)

1月12日

发表散文《讲一句诗》,载北平《平明日报·星期艺文》第3期,署名废名。

同日

发表散文《教训》(《代大匠斫 必伤其手》《多识于鸟兽草木之名》),载上海《大公报·星期文艺》第14期,署名废名。又载天津《大公报·星期文艺》1947年1月18日第14期,署名废名。

1月13日

王宗任发表《谈废名的诗》,载兰州《甘肃民国日报·生路》

第1967期。

2月2日

发表散文《打锣的故事》,载天津《大公报·星期文艺》第16期,署名废名。又载上海《大公报·星期文艺》1947年2月2日第17期,署名废名。

2月3日

尚土发表《废名》,载北平《燕京新闻》第13卷第11期"人物志"栏。又载上海《和平日报》1947年2月16日《和平副刊》。

2月26日

发表散文《放猖》,载南昌《中国新报·文林》第370号,署名废名。题下有编者按。文前有废名附记。收入长篇小说《莫须有先生坐飞机以后》,列于莫须有先生名下。

3月2日

发表诗《雪的原野》《街上的声音》,合题为"诗二首",载北平《平明日报·星期艺文》第10期,署名废名。存手稿。

3月10日

北京大学开学。本学期,与杨振声为中国文学系三、四年级学生合开必修课"英文文学选读",上课时间为每周一、三的第四、五节课,地点在"北20"教室(《北京大学史料》第4卷,第491页)。为中国文学系二、三、四年级学生开选修课"孟子选",上课时间为每周五的第二、三、四节课,地点在"北22"教室(《北京大学史料》第4卷,第493页)。

3月13日

作《阿赖耶识论》序。

5月5日

发表散文《小时读书》,载南昌《中国新报·新文艺》第29期,署名废名。又载南京《生活杂志》1947年6月25日第2卷第2期,署名废名。又载重庆《新蜀夜报》1947年7月2日《夜潮》,署名废名。收入长篇小说《莫须有先生坐飞机以后》,列于莫须有先生名下。

5月27日

上午,在西四牌楼居士林讲"佛教儒教与西洋哲学"(《北大近事》,载上海《申报》1947年5月7日《自由谈》)。

5月29日

北大、清华教授102人发表为反内战运动劝告学生与政府书,废名在宣言书上签名(《北平教授宣言》,载上海《大公报》1947年5月30日第2版)。

6月1日

发表自传性长篇小说《莫须有先生坐飞机以后》之《第一章 开场白》《第二章 莫须有先生买白糖》,载上海《文学杂志》月刊第2卷第1期,署名废名。

6月15日

发表诗《四月二十八日黄昏》,载北平《龙门杂志》月刊第1卷第4期,署名废名。存手稿。

6月16日

为黄裳题笺,署名废名。存手稿。

7月1日

发表长篇小说《莫须有先生坐飞机以后》之《第三章 无

题》,载上海《文学杂志》月刊第 2 卷第 2 期,署名废名。

7 月 15 日

发表论文《孟子的性善和程子的格物》,载北平《世间解》月刊第 1 期,署名废名。

同日

发表散文《小孩子对于抽象的观念》,载北平《龙门杂志》月刊第 1 卷第 5 期,署名废名。

7 月 28 日

北京大学放暑假。回黄梅。

7 月底或 8 月初

致《世间解》月刊编辑张中行信(《编辑室杂记》,北平《世间解》月刊 1947 年 8 月 15 日第 2 期)。

8 月 11 日

发表论文《说人欲与天理并说儒家道家治国之道》,载上海《哲学评论》双月刊第 10 卷第 6 期,署名冯文炳。

8 月 13 日

北京大学为废名补发毕业证书(原件藏废名后人处)。

8 月

发表长篇小说《莫须有先生坐飞机以后》之《第四章　卜居》,载上海《文学杂志》月刊第 2 卷第 3 期,署名废名。

9 月 4 日

到武汉(《北大教授冯文炳来汉》,载《武汉日报》1947 年 9 月 5 日第 5 版)。

9月5日

返北平。

9月17日

拜访僧人一盲,与他讨论佛学问题。翌日,将尚未出版的《阿赖耶识论》抄本亲自送给他。此次谈话内容,一盲经过整理,以《佛教漫谭(四)》为题,发表在北平《世间解》月刊10月15日第4期。

9月

发表长篇小说《莫须有先生坐飞机以后》之《第五章 工作》,载上海《文学杂志》月刊第2卷第4期,署名废名。

10月15日

发表论文《佛教有宗说因果》,载北平《世间解》月刊第4期,署名废名。

11月15日

发表论文《"佛教有宗说因果"书后》,载北平《世间解》月刊第5期,署名废名。

11月

发表长篇小说《莫须有先生坐飞机以后》之《第六章 旧时代的教育》,载上海《文学杂志》月刊第2卷第6期,署名废名。

12月15日

发表论文《体与用》,载北平《世间解》月刊第6期,署名废名。

12月

发表长篇小说《莫须有先生坐飞机以后》之《第七章 莫须

有先生教国语》,载上海《文学杂志》月刊第 2 卷第 7 期,署名废名。

本年(1946 学年度)

指导胡清源毕业论文《陶诗研究》、车宏宇毕业论文《颜李学派学术思想》,与沈从文共同指导吴洁毕业论文《读法苑珠林》(《北京大学史料》第 4 卷,第 515 页)。

1948 年(民国三十七年 戊子) 48 岁

1 月

发表长篇小说《莫须有先生坐飞机以后》之《第八章 上回的事情没有讲完》,载上海《文学杂志》月刊第 2 卷第 8 期,署名废名。

2 月 9 日

致张中行信,署名废名(原件藏张中行后人处)。

2 月 15 日

发表散文《立志》,载北平《华北日报·文学》第 8 期,署名废名。又载南昌《中国新报·文林》1948 年 3 月 24 日第 618 号,署名废名。又载杭州《天行报》1948 年 4 月 16 日《万方》,署名废名。

同日

发表诗《鸡鸣》《人类》《真理》,合题为"诗三首",载北平《平明日报·星期艺文》第 43 期。又载上海《文学杂志》月刊 1948 年 5 月 1 日第 2 卷第 12 期,署名废名。

2 月 16 日

发表论文《谈用典故》,载《天津民国日报·文艺》第 115 期,署名废名。又载永嘉《浙瓯日报·展望》1948年3月1日新728号,署名废名。

同日

高翔发表《记废名和徐盈》,载上海《论语》半月刊第147期。

2月22日

发表《散文》,载北平《华北日报·文学》第9期,署名废名。

2月

发表长篇小说《莫须有先生坐飞机以后》之《第九章　停前看会》,载上海《文学杂志》月刊第2卷第9期,署名废名。

3月1日

发表论文《再谈用典故》,载《天津民国日报·文艺》第117期,署名废名。

3月21日

发表论文《"十年诗草"》,载北平《华北日报·文学》第12期,署名废名。正文后有编者按。

3月

发表长篇小说《莫须有先生坐飞机以后》之《第十章　关于征兵》,载上海《文学杂志》月刊第2卷第10期,署名废名。

4月5日

发表论文《新诗讲义——关于我自己的一章》,载《天津民国日报·文艺》第120期,署名废名。又载重庆《时事新报·青光》6月1日、3日渝新第69号、第70号,署名废名。

4月25日

发表论文《林庚同朱英诞的诗》,载北平《华北日报·文学》

第 17 期,署名废名。

4 月

发表长篇小说《莫须有先生坐飞机以后》之《第十一章　一天的事情》,载上海《文学杂志》月刊第 2 卷第 11 期,署名废名。

5 月 23 日

发表论文《十四行集》,载北平《华北日报·文学》第 21 期,署名废名。正文后有编者按。

6 月 4 日

少左发表《莫须有先生读论语》,载汉口《大刚报·珞珈山》。

6 月 7 日

发表诗《人生》,载北平《平明日报·星期艺文》第 59 期,署名废名。

6 月 28 日

发表散文《我怎样读论语》,载《天津民国日报·文艺》第 132 期,署名废名。

6 月

发表长篇小说《莫须有先生坐飞机以后》之《第十二章　这一章说到写春联》,载上海《文学杂志》月刊第 3 卷第 1 期,署名废名。

7 月 5 日

余子发表《废名不忘周作人》,载上海《力报》。

7 月

发表长篇小说《莫须有先生坐飞机以后》之《第十三章　民国庚辰元旦》,载上海《文学杂志》月刊第 3 卷第 2 期,署名废名。

8月30日

发表散文《读朱注》,载《天津民国日报·文艺》第141期,署名废名。

8月

发表长篇小说《莫须有先生坐飞机以后》之《第十四章 留客吃饭的事情》,载上海《文学杂志》月刊第3卷第3期,署名废名。

8月

上海开明书店出版《现代诗钞》,闻一多选编。内收废名诗2首,即《灯》和《理发店》。

9月

发表长篇小说《莫须有先生坐飞机以后》之《第十五章 五祖寺》,载上海《文学杂志》月刊第3卷第4期,署名废名。

10月

发表长篇小说《莫须有先生坐飞机以后》之《第十六章 莫须有先生教英语》,载上海《文学杂志》月刊第3卷第5期,署名废名。

11月7日

晚8时,参加由文艺团体"方向社"举行的"今日文学的方向"座谈会,地点在北京大学蔡孑民先生纪念堂。出席座谈的有废名、朱光潜、沈从文、冯至、常风、汪曾祺等16人,袁可嘉主持。座谈记录后以《今日文学的方向——"方向社"第一次座谈会记录》为题,载天津《大公报·星期文艺》1948年11月14日第107期。

11月15日

致张中行信,署名废名(原件藏张中行后人处)。

11月

发表长篇小说《莫须有先生坐飞机以后》之《第十七章　莫须有先生动手著论》,载上海《文学杂志》月刊第3卷第6期,署名废名。《文学杂志》月刊出完第3卷第6期后停刊,废名所作《第十八章　到后山铺去》《第十九章　路上及其他》未发表,手稿藏中国国家图书馆。

12月23日

王雅安发表《我知道的废名先生》,载重庆《大公晚报·小公园》。

本年

开有"现代文学作品分析""李义山集""庾子山集"等课程。

本年(1947学年度)

与沈从文共同指导曹思义毕业论文《论新月派诗人》,与赵西陆共同指导谭作人毕业论文《嵇康论》,与杨振声共同指导廖文仲毕业论文《五四以来的新诗》(《北京大学史料》第4卷,第516页)。

1949年(己丑)　49岁

1月26日

周作人被保释出狱,住在上海。

同日

王雅安发表《记废名》,载汉口《大刚报·珞珈山》。

1月31日

北平宣告和平解放。北京大学开学后,仍留任北大教授。

2月21日

下午俞平伯来访,一起出席沙滩区北大联谊会(《俞平伯年谱》,第254页)。

2月22日

访俞平伯(《俞平伯年谱》,第254页)。

春

开始阅读毛泽东《新民主主义论》《在延安文艺座谈会上的讲话》《湖南农民运动考察报告》《中国社会各阶级的分析》《论人民民主专政》等著作。

4月1日

完成《一个中国人民读了新民主主义论后欢喜的话》,并装订成册,署名废名,扉页题"献给中国共产党",后亲自送呈董必武。未发表。存手稿。

目录:《一 自述开卷有得》《二 民族精神,科学方法》《三 儒家是宗教》《四 性善》《五 科学与宗教》《六 理智与迷信》《七 兼容并包与严格》《八 从为人民到为君》《九 新中国的教育》。

4月9日

北平文化界329人联合发表宣言,声讨南京国民党反动卖国政府盗运文物的罪行。废名在宣言上签名(《北平文化界发表宣言声讨南京反动政府盗运文物》,《人民日报》1949年4月11日第3版)。

4 月 18 日

　　致周作人信(《周作人年谱》,第 731 页)。

4 月 26 日

　　周作人得废名 4 月 18 日信(周吉宜:《1949 年周作人日记》,《中国现代文学研究丛刊》2017 年第 7 期。后文仅著录篇名)。

6 月 4 日

　　周作人致废名信(《1949 年周作人日记》)。

6 月 5 日

　　上午到北大蔡孑民纪念堂参加北平各大学中文系课程改革座谈会。出席者有周扬、俞平伯、杨振声、顾随、杨晦、李广田、林庚等 60 余人。

6 月 8 日

　　上午周作人寄废名信,并得废名 6 月 1 日信(《1949 年周作人日记》)。

6 月 9 日

　　下午周作人复废名信(《1949 年周作人日记》)。

6 月 16 日

　　致周作人信(《1949 年周作人日记》)。

6 月 19 日

　　上午周作人寄废名信(《1949 年周作人日记》)。

6 月 24 日

　　上午周作人寄废名信(《1949 年周作人日记》)。

6 月 26 日

　　下午周作人得废名 6 月 16 日信(《1949 年周作人日记》)。

夏

作《古代的人民文艺——诗经讲稿》,系 1949 年至 1950 年在北京大学授课的讲稿。未发表。存手稿。

目录:《关雎》《桃夭》《汉广》《行露》《摽有梅》《野有死麇》《匏有苦叶》《蝃蝀》《绸缪》《东山》《车舝》。

7月4日

下午周作人寄废名信,附文 8 张(《1949 年周作人日记》)。

7月8日

上午周作人得废名 6 月 31 日信及文稿一册(《1949 年周作人日记》)。

7月9日

下午周作人往寄废名信(《1949 年周作人日记》)。

7月11日

上午周作人得废名 7 月 5 日快信(《1949 年周作人日记》)。

7月14日

上午周作人寄废名信(《1949 年周作人日记》)。

7月17日

下午周作人得废名 7 月 13 日信(《1949 年周作人日记》)。

7月18日

上午周作人寄废名平快信(《1949 年周作人日记》)。

7月26日

下午周作人得废名 7 月 22 日平快信(《1949 年周作人日记》)。

7月28日

上午周作人寄废名信(《1949 年周作人日记》)。

7月31日

上午周作人寄废名信(《1949年周作人日记》)。

8月4日

下午周作人得废名7月30日信(《1949年周作人日记》)。

8月5日

上午周作人寄废名信(《1949年周作人日记》)。

8月8日

下午周作人得废名7月27日信(《1949年周作人日记》)。

8月14日

周作人回到北京,住太仆寺街尤炳圻家。10月18日,回八道湾住宅。废名曾在老朋友中为他募捐,并经常去周家。因此,北京大学中文系开会批判废名,说他立场不坚定。

8月15日

上午访周作人。下午共食西瓜(《1949年周作人日记》)。

8月16日

上午访周作人(《1949年周作人日记》)。

8月17日

下午访周作人,赠款1万元(《1949年周作人日记》)。

8月18日

上午访周作人(《1949年周作人日记》)。

8月19日

上午访周作人,又赠款1万元(《1949年周作人日记》)。

8月20日

晚访周作人,共进晚餐(《1949年周作人日记》)。

8 月 25 日

晚访周作人(《1949 年周作人日记》)。

8 月 29 日

下午访周作人,交给周作人上海汇款 10 万元(《1949 年周作人日记》)。

9 月 3 日

晚访周作人,赠竹叶青一瓶,火腿一方(《1949 年周作人日记》)。

9 月 10 日

下午访周作人,见赠《立春以前》一册(《1949 年周作人日记》)。

9 月 12 日

上午携子女访周作人(《1949 年周作人日记》)。

9 月 18 日

上午访周作人。下午又访周作人(《1949 年周作人日记》)。

9 月 23 日

上午访周作人(《1949 年周作人日记》)。

9 月 25 日

上午访周作人(《1949 年周作人日记》)。

9 月 28 日

上午访周作人,赠款 1 万元(《1949 年周作人日记》)。

9 月

北京大学教授、讲师、助教、职员联名发表宣言,痛斥美帝"白皮书",废名在宣言上签名(《北大教职员联名发表宣言　痛斥美帝白皮书》,《人民日报》1949 年 9 月 5 日第 2 版)。

10 月 1 日

中华人民共和国成立。立志写一首伟大的新诗,题为《天安门》。

10 月 2 日

晚访周作人(《1949 年周作人日记》)》)。

10 月 8 日

下午访周作人(《1949 年周作人日记》)。

10 月 14 日

下午访周作人(《1949 年周作人日记》)。

11 月 5 日

周作人寄废名信(《1949 年周作人日记》)。

11 月 6 日

上午访周作人(《1949 年周作人日记》)。

11 月 9 日

上午访周作人,交给周作人上海汇款 104170 元,获赠旧书经语立轴一帧(《1949 年周作人日记》)。

11 月 19 日

下午访周作人,赠面粉 23 斤(《1949 年周作人日记》)。

11 月 24 日

下午访周作人,交给周作人报社汇款 15 万元(《1949 年周作人日记》)。

11 月 30 日

访周作人,赠煤资 10 万元(《1949 年周作人日记》)。

12月9日

下午访周作人,交给周作人报社款 210700 元(《1949 年周作人日记》)。

12月29日

上午周作人得废名 12 月 28 日信。下午周作人长子周丰一拜访废名,取走书一册(《1949 年周作人日记》)。

12月30日

遣子赠周作人煤费 8 万元(《1949 年周作人日记》)。

1950 年(庚寅) 50 岁

2 月 17 日(春节)

到周作人家贺年(张菊香、张铁荣:《周作人年谱》,天津人民出版社 2000 年版,第 750 页。后文仅著录书名、页码)。

2 月 21 日

访周作人,转交郑振铎从中法大学图书馆所借法国商伯利译本《伊索寓言》(《周作人年谱》,第 750 页)。

3 月初

北京大学教职员 557 人联合发表声明,拥护世界和平理事会的宣言和决议。

5 月 17 日

出席在北京人民艺术厅举行的北京市文学艺术工作者联合会发起人大会(《京文艺工作者联合会昨日举行发起人大会 选出市文联筹备委员三十五人》,《光明日报》1950 年 5 月 18 日第 331 期)。

6月30日

与北京大学中国语文系全体师生合影(原件藏废名后人处)。

10月19日

北京大学举行晚会,纪念鲁迅逝世14周年,废名出席并讲话,"指出了大家应该向鲁迅先生学习群众路线的精神"(《北大、清华、辅仁举行晚会 纪念鲁迅先生忌辰 一致指出应学习鲁迅先生的战斗精神和严肃的工作态度》,《光明日报》1950年10月21日第487期)。

11月1日

北京大学教师376人上书毛泽东,废名签名(《北大教师三百七十六人上书毛主席斥美帝罪行 表示愿献出最大力量保卫祖国》,《光明日报》1950年11月4日第501期)。

11月23日

北京大学全校教职员工961人发起"拒绝收听'美国之音'公约"运动,废名在公约上签名(《北大全校教职员工号召拒绝收听"美国之音" 签名发起拒听公约运动》,《光明日报》1950年11月24日第521期)。

约11月

作《向报名参加援朝志愿部队同学致敬》,见《致敬青春》,载上海《文汇报》1950年11月28日《文汇报附刊》。

12月8日

发表短文《殖民地的时期已经过去了》,载《光明日报》第535期,署"北大中文系教授 冯文炳"。又载香港《大公报·文综》1950年12月22日第2张第6版,署"北大中文系教授 冯文炳"。

本年

开设文艺文习作等课程。

1951年（辛卯） 51岁

4月10日

致周作人信，署名文炳（原件藏周作人后人处）。

10月

随北京大学师生赴江西吉安专区潞田乡参加土地改革运动。与时为北京大学中文系学生的乐黛云共同负责第三代表区的工作，住在潞田镇镇公所。

1952年（壬辰） 52岁

5月

从江西返回北大。不久，写入党申请书，交北大中文系党组织。

6月16日

填写北京大学《师生员工履历表》，在"专长"栏自称："长于写作并训练学生写作；对中国古代诗特有了解，对现代新诗及小说特有了解。"（据吉林大学档案馆藏废名档案）

9月24日

北京大学为废名出具"北京大学离职证明书"（原件藏废名后人处）。

9月

全国高等院校实行院系调整。废名和杨振声、刘禹昌、赵西陆等人由北京大学调至东北人民大学(今吉林大学)中文系。住长春市东朝阳胡同27号。

11月

加入中国教育工会东北人民大学委员会互助会(原件藏废名后人处)。

12月18日

填写《东北人民大学教职员登记簿》(据吉林大学档案馆藏废名档案)。

1953年(癸巳)　53岁

1月17日

《跟青年谈鲁迅》脱稿。

春

参加中国第一汽车制造厂动工建设,劳动了半个月,右眼突然看不见东西,后被确诊为视网膜脱落。

8月3日

填写《东北人民大学干部鉴定表》(据吉林大学档案馆藏废名档案)。

秋

到北京崇文门同仁医院医治眼病,手术后效果不好,右眼几乎失明。不能伏案,只得托木板写文章,编讲义。仍按时上课,从未缺勤。

本年

作诗《在电车上》。未发表。已散佚。

本年

讲授语法修辞(1956届中文专业,计70课时)、文选习作(1956届中文专业,计30课时)。

1954年(甲午) 54岁

7月6日

填写东北人民大学《干部简历表》,在"有何重要社会关系?姓名、职业、政治态度及现在的关系?"栏称:"本人同汉奸周作人有三十年的师生关系。思想改造后,同周作人断了关系,不来往,不通信。"(据吉林大学档案馆藏废名档案)

本年

讲授杜甫诗研究(1956届中文专业,计36课时)、文选习作(1957届中文专业,计30课时)。

1955年(乙未) 55岁

春夏之交

到北京检查眼睛,住在法宪胡同冯健男家。不久,返回长春。

8月

修改、补充《跟青年谈鲁迅》。

本年

讲授鲁迅研究(1957届中文专业,计36课时)。

1956年(丙申)　56岁

1月

发表论文《杜甫写典型——分析"前出塞"、"后出塞"》,载《东北人民大学人文科学学报》第1期,署名冯文炳。此文系其《杜诗讲稿》之一讲。收入中华书局1963年2月版《杜甫研究论文集》二辑。

2月18日

发表短论《光荣而艰巨的任务必须完成》,载《吉林日报》第3版,署名冯文炳。

5月5日、6日

东北人民大学举行第四届田径运动会,废名为主席团成员之一。

7月22日

与东北人民大学中文系1956年毕业生合影。

7月

发表论文《杜诗讲稿(上)》,载《东北人民大学人文科学学报》第3期,署名冯文炳。

7月

《跟青年谈鲁迅》由中国青年出版社出版,署名冯文炳。据中华人民共和国教育部科学研究司1956年7月编印的《全国高等学校已完成的重要科学研究题目汇编》第1集,原题为《跟青年谈谈鲁迅》。

目录:《为什么要研究鲁迅和怎样研究鲁迅》《鲁迅的少年时

代》《鲁迅在日本》《辛亥革命与鲁迅》《五四运动》《鲁迅的第一篇小说》《分析"阿Q正传"》《鲁迅怎样写杂感》《鲁迅的杂文是诗史》《共产主义者鲁迅》《鲁迅与现实主义传统》《鲁迅对文学形式和文学语言的贡献》《鲁迅的艺术特点》《鲁迅怎样对待文化遗产和民族形式》《向鲁迅学习》。

8月15日

发表散文《歌颂》,载《人民日报》,署名冯文炳。

9月13日

加入中国作家协会。1957年4月,由中国作家协会办公室签发会员证,证号"0644"(原件藏废名后人处)。

10月1日

发表散文《纪念鲁迅》,载《长春》文学月刊1956年10月号,署名冯文炳。

10月15日

发表散文《感谢和喜悦》,载《人民日报》,署名冯文炳。

10月19日

发表散文《鲁迅先生给我的教育》,载《吉林日报》,署名冯文炳。

10月

发表论文《杜诗讲稿(下)》,载《东北人民大学人文科学学报》第4期,署名冯文炳。

《东北人民大学人文科学学报》所刊《杜诗讲稿》共7讲:《第一讲 杜甫〈自京赴奉先咏怀〉在中国文学史上的意义》《第二讲 分析"前出塞"、"后出塞"》《第三讲 关于三"吏"、三"别"》《第

四讲　杜甫的律诗和他的伟大的抒情诗》《第五讲　秦州诗风格》《第六讲　入蜀诗的变化》《第七讲　夔州诗》。1960年代初,续作《第八讲　杜甫的歌行》《第九讲　杜甫的绝句》《第十讲　诗的语言问题》,题为《杜诗稿续》,未发表,存手稿。

11月

《跟青年谈鲁迅》第2次印刷。

本年

作论文《读"论阿Q"》,署名冯文炳。此文系读何其芳《论阿Q》(《人民日报》1956年10月10日)后所作。未发表。存手稿。

本年

得周作人信。周作人说他的《跟青年谈鲁迅》"写得不好"。

本年

担任东北人民大学中文系主任。

本年

讲授杜甫诗研究(1957届、1958届中文专业合开,计36课时)。

1957年(丁酉)　57岁

2月17日

作诗《工作中依靠共产党》,载《人民日报》1957年3月3日第8版,署名冯文炳。

3月24日

乔象锺发表《对于〈杜甫写典型〉一文的意见》,载《光明日报·文学遗产》第149期。

4月24日

作《废名小说选》序,署名废名。收入《废名小说选》。

5月8日

发表散文《高潮到来了》,载《吉林日报》第3版,署名冯文炳。

5月

接受束沛德采访。采访情况经束沛德整理后,以《迎接大放大鸣的春天——访长春的几位作家》为题,发表在1957年第11期的《文艺报》上。束沛德共采访了3位作家,另两位是汪馥泉和蒋锡金。

6月30日

发表论文《关于杜诗两篇短文》,载《光明日报·文学遗产》第163期,署名冯文炳。收入中华书局1963年2月版《杜甫研究论文集》二辑。两篇短文为《"听杨氏歌"解》和《"前出塞"、"后出塞"不是写正面人物吗?》。后者是读乔象锺《对于〈杜甫写典型〉一文的意见》后所作。存自留剪报。

8月3日

发表散文《读古书》,载《人民日报》,署名冯文炳。

8月10日

发表评论《必须党领导文艺》,载《吉林日报·沃土》第34期,署名冯文炳。

10月1日

发表评论《必须做左派》,载《长春》文学月刊1957年10月号,署名冯文炳。收入吉林人民出版社1957年11月版《刺恶集》。

10月

发表论文《"阿Q正传"》,载《东北人民大学人文科学学报》1957年10月第2、3期合刊,署名冯文炳。另有"东北人民大学人文科学委员会1957年6月20日印"打印本,署名冯文炳。

11月

《废名小说选》由人民文学出版社出版,署名废名。内收小说32篇,大多选自短篇小说集《桃园》和《枣》,长篇小说《桥》和《莫须有先生传》节选了部分章节。

目录:《序》;《讲究的信封》《浣衣母》《石勒的杀人》《追悼会》《桃园》《菱荡》《小五放牛》《毛儿的爸爸》《四火》《文公庙》《万寿宫》《闹学》《芭茅》《狮子的影子》《习字》《花》《"送路灯"》《瞳人》《碑》《棕榈》《清明》《路上》《茶铺》《花红山》《今天下雨》《桥》《八丈亭》《塔》《桃林》《莫须有先生下乡》《莫须有先生不要提他的名字》《莫须有先生今天写日记》。

11月

发表杂文《刺恶篇》,载吉林人民出版社1957年11月版《刺恶集》。

12月14日

周作人外出购《废名小说选》一册(《周作人年谱》,第860页)。

12月28日

发表评论《腐朽的资产阶级文艺思想,伟大的工农兵方向》,载《吉林日报》第3版,署名冯文炳。

本年

东北人民大学油印《鲁迅的小说》,作为1957—1958学年第一学期教材,未署名。存打印本。

目录:《鲁迅的"狂人日记"》《"药"》。

本年

讲授鲁迅研究(1958届中文专业,计36课时)。

1958年(戊戌) 58岁

1月1日

发表评论《伟大的文艺工农兵方向》,载《长春》文学月刊1958年1月号,署名冯文炳。

同日

发表散文《贺新年》,载《江城》月刊第1期,署名冯文炳。

同日

发表诗《迎新词》,载《长春日报》第4版《新年副刊》,署名冯文炳。

1月26日

发表论文《谈谈新诗》,载《吉林日报·沃土》第54期,署名冯文炳。又载《长春》文学月刊1958年2月1日2月号,署名冯文炳。存自留剪报。

本月

寄一册《废名小说选》给冯健男。扉页用毛笔书"赠健男1958年1月3日 作者老人"。"作者老人"下,钤齐白石刻制"废名"朱文印章(冯健男:《我的叔父废名》,接力出版社1995年3月版,第58—59页)。

3月15日

作诗《欢迎志愿军归国》,载《长春》文学月刊1958年5月1日5月号,署名冯文炳。

3月20日

作散文《个人规划》,载《作家通讯》1958年6月10日第2期,署名冯文炳。

7月22日

发表《语言学课程整改笔谈》,载《中国语文》1958年7月号,署名冯文炳。

8月8日

填写中共长春市委组织部制、东北人民大学整风办公室翻印的《整风运动思想总结》(据吉林大学档案馆藏废名档案)。

8月

开始作《新民歌讲稿》,至本年年底脱稿,未署名。存手稿、打印本。

目录:《一 学习新民歌》《二 新民歌是革命的现实主义和革命的浪漫主义的结合》《三 诗的语言问题》《四 诗的形式问题》《五 歌颂篇》《六 一年之间中国的农民和农村》《七 工矿诗都是政治挂帅》《八 中国人民子弟兵之一班》。

11月2日

郭石山发表《论冯文炳先生的"杜诗讲稿"》,载《光明日报·文学遗产》第3383期。

本年

讲授鲁迅研究(1959届中文专业,计36课时)。

1959年(己亥) 59岁

3月1日至5月10日

作《歌颂篇三百首》,署名冯文炳。未出版。存手稿2种。

目录:《一 前言》(20首)、《二 半封建半殖民地》(17首)、《三 歌烈士》(15首)、《四 优先发展重工业》(15首)、《五 抗美援朝》(10首)、《六 矛盾论颂》(20首)、《七 再颂矛盾论》(5首)、《八 整风和反右》(13首)、《九 大字报赞》(14首)、《十 跃进篇一》(27首)、《十一 跃进篇二》(40首)、《十二 妇女篇》(36首)、《十三 赞五员》(16首)、《十四 知识分子改造》(27首)、《十五 伟大的教育革命》(15首)、《十六 人民公社好》(10首)。

5月1日

刘忠恕(中树)发表《就〈阿Q正传〉的几个主要问题和冯文炳教授商榷》,庐湘发表《对冯文炳教授论〈阿Q正传〉一文的意见》,载《吉林大学人文科学学报》第2期。

6月6日至15日

参加中国人民政治协商会议吉林省第二届委员会第一次全体会议,被选为主席团成员。12日下午,就"大跃进"以来出现的新民歌作了发言。13日下午,担任大会执行主席。当选为政协吉林省第二届委员会常务委员。

6月21日

《吉林日报》以《我们文艺工作者的信心和决心》为题,发表废名与王云鹏、王玉蓉等12位吉林省政协委员的联合发言摘要。

6月23日

发表发言摘要《关于新民歌》，载《吉林日报》第3版，署名冯文炳。

7月1日

作《五九年"七一"作抒情诗二首》，署名冯文炳。未发表。存手稿。

8月

发表论文《谈诗的形式问题》，载吉林大学中文系编、吉林人民出版社1959年8月初版《文学论文集》第1集，署名冯文炳。此文即《新民歌讲稿》之《诗的形式问题》。

9月

填写《吉林大学教职员鉴定表》（据吉林大学档案馆藏废名档案）。

12月

发表论文《关于"阿Q正传"研究》，载《吉林大学人文科学学报》1959年12月第4期，署名冯文炳。此文是针对刘忠恕《就〈阿Q正传〉的几个主要问题和冯文炳教授商榷》和庐湘《对冯文炳教授论〈阿Q正传〉一文的意见》所作的反批评。存手稿。

本年

作论文《读"丰收集"》。未发表。存手稿。

本年

讲授新民歌研究（1960届、1961届中文专业分开，计72课时）。

50年代

作《百十五回本"水浒"替我们解决了一个问题》《结合自己

学习汉语言文学的经验谈谈综合大学汉语言文学专业的教学计划》。未发表。存手稿。

50 年代

作论文《"孔乙己"》。未发表。存手稿。

1960 年(庚子)　60 岁

3 月 16 日

吉林大学科学研究科报道文科各系开展科学研究工作情况,其中称废名已完成论文《马克思主义美学在中国的发展和胜利》(《我校文科各系以毛泽东思想为指导大力开展科学研究工作》,吉林大学《人文科学学报》1960 年第 1 期)。

4 月

作《毛泽东同志著作的语言是汉语语法的规范》,署名冯文炳。文稿包括两大部分,即《汉语语法的要点》和《毛泽东同志著作的语言是汉语语法的规范》。未发表。存打印本。

8 月

《鲁迅研究》完稿,署名冯文炳。未出版。存手稿、打印本。

目录:《引言》《一　鲁迅彻底地反对封建文化》《二　鲁迅是最早对写普通话最有贡献的人》《三　鲁迅期待炬火和自己不以导师自居》《四　鲁迅的政治路线和文艺实践》《五　鲁迅早期思想里的矛盾和中国新民主主义革命现实在鲁迅作品的反映》《六　鲁迅重视思想改造》《七　鲁迅确信无产阶级文学》《八　鲁迅的局限性的表现》《九　"狂人日记"》《十　"药"》《十一　"阿Q正传"》《十二　"祝福"》《十三　"伤逝"》《十四　学习鲁迅和研

究鲁迅的方法》。

11月

将《鲁迅研究》寄给周扬(据废名未刊日记)。

本年

作论文《伟大的中国人民文化的复兴》(据废名未刊日记)。已散佚。

本年

讲授杜甫诗研究(1962届中文专业,计36课时)。

1961年(辛丑)　61岁

7月31日

周作人致鲍耀明信,称废名和俞平伯"近虽不常通信,唯交情故如旧"(《知堂书信》,华夏出版社1994年版,第341页)。

8月29日

邵荃麟致废名信,载《图书馆杂志》1982年第1期,题为《关于鲁迅从"五四"到一九二七年的思想——致〈鲁迅研究〉作者冯文炳同志信》。沈鹏年供稿。

暑期

开始编写美学讲义(据废名未刊日记)。未出版。存油印本2种:一为铅字打印,题为"美学",作为"1962—1963学年第一学期"教材。首页有1961年12月15日所作题识,署名冯文炳。一为手写刻印,题为"美学讲义",作为"1963—1964学年第一学期"教材。讲义计10章,其中第9章、第10章有目无文。部分章节曾在报刊上发表过。又存部分手稿。

目录:《第一章　美是客观存在》《第二章　美学》《第三章　群众和美》《第四章　民族形式和美》《第五章　生活和美》《第六章　作品的思想性和作品的美》《第七章　内容和形式》《第八章　美的创造和美感》《第九章　不同的艺术标准》《第十章　文学语言的问题必须从美学解决》。

9月28日

杨扬发表《一幅引人的剪影——重读〈跟青年谈鲁迅〉》,载《人民日报》。

10月1日

发表散文《谈"语不惊人死不休"》,载《长春》文学月刊1961年10月号,署名冯文炳。

10月5日

浙江丽水碧湖中学李奕致废名信。

10月19日

发表散文《伟大的战士——纪念鲁迅逝世二十五周年》,载《长春日报》第3版《副刊》,署名冯文炳。

10月22日

发表论文《谈杜甫的"登楼"》,载《吉林日报》,署名冯文炳。

12月6日

致李奕信,载《长春》文学月刊1962年2月1日2月号,与李奕信合题为"书信往来",署名冯文炳。

12月29日

翰逢针对废名《读杜甫的"登楼"》,发表《也读杜甫的"登楼"》,载《吉林日报》。

本年

　　讲授鲁迅研究(1962届中文专业,计36课时)、美学(含新民歌研究)(1962届中文专业,计36课时)。

1962年(壬寅)　62岁
3月28日

　　发表论文《杜甫的价值和杜诗的成就》,载《人民日报》,署名冯文炳。收入中华书局1963年9月版《杜甫研究论文集》三辑。

4月3日

　　湖北省黄梅县人委致废名信。

5月1日

　　发表论文《仰之弥高　钻之弥坚》,载《长春》文学月刊1962年5月号,署名冯文炳。此文是为纪念毛泽东《在延安文艺座谈会上的讲话》发表20周年而作。收入吉林省文联编、吉林人民出版社1962年12月版《作家的素养》。

5月19日

　　受邀参加中国作家协会吉林分会举行的毛泽东《词六首》座谈会(《中国作家协会吉林分会举行毛主席词六首座谈会》,载《长春》文学月刊1962年6月号)。

5月23日至30日

　　出席在长春召开的吉林省第三届文艺工作者代表大会,当选为吉林省第三届文联副主席(《吉林省举行第三届文代大会》,载《长春》文学月刊1962年7月号)。

6月

发表论文《美是客观存在和美学》(《美学讲义》第1章、第2章),载吉林大学《社会科学学报》1962年第1期,署名冯文炳。

7月

吉林大学打印《鲁迅研究》,用作1962—1963学年第一学期中文系内部教材,编号"5020"。

夏

周扬到东北人民大学视察,亲自召见废名,并安排学校给他配秘书,他不接受。

后将《美学》讲稿寄给周扬,并附一封长信(据废名未刊日记)。

9月17日

参加由吉林省和长春市文联举行的省市文艺界庆祝我军击落美军U-2型飞机的重大胜利和声讨美国侵略者座谈会。

10月17日

作《学习"论共产党员的修养"笔记》,计划写出"美学讲义""鲁迅研究""杜诗讲义""文体研究""诗形式与诗内容""作家风格研究"和"汉语语法研究"等教材。未发表。存手稿。

10月

发表论文《美学两大事》(《美学讲义》第3章、第4章),载吉林大学《社会科学学报》1962年第2期,署名冯文炳。

11月1日

发表散文《我爱"枯木朽株齐努力"的形象》,载《长春》文学月刊1962年11月号,署名冯文炳。

12月31日

吉林大学中文系五年级全体同学致废名信(原件藏废名后人处)。

12月

金恩晖发表《论美学及其科学的研究途径——读冯文炳先生〈美是客观存在和美学〉后的几点意见》,载吉林大学《社会科学学报》1962年第4期。

废名发表论文《我对建立辩证唯物主义美学的愿望和实践》,载吉林大学《社会科学学报》1962年第4期,署名冯文炳。这是废名读吉林大学科学委员会交给他的金恩晖《论美学及其科学的研究途径——读冯文炳先生〈美是客观存在和美学〉后的几点意见》后所作的商榷文章。

本年

讲授美学(含新民歌研究)(1963届中文专业,计36课时)。

1963年(癸卯)　63岁

1月1日

发表散文《难忘的图画》,载《长春》文学月刊1963年1月号,署名冯文炳。

1月19日

吉林大学社会科学委员会致废名信(原件藏废名后人处)。

2月

《杜甫论》完稿,署名冯文炳。存手稿、打印本。

目录:《一、难得的杜甫的歌颂人民》《二、难得的自我暴露》

《三、杜甫走的生活的道路》《四、杜甫的思想的特点》《五、杜甫的性格的特点》《六、杜诗的妇女形象》《七、杜甫的一生对我们的借鉴》。

春

在省政协开会,突然尿血,后被确诊为膀胱癌。

5月1日

韩凌发表《略论艺术形式的历史规划——读冯文炳先生〈谈艺术形式〉一文的几点意见》,载吉林大学《社会科学学报》1963年第2期。

5月6日至10日

吉林大学中文系举行科学报告会,参加会议的除该系师生外,还邀请长春市有关兄弟单位人员参加。会上,废名作了题为"杜甫论"的报告。与会者对其某些学术观点提出不同意见(《我校在中文系举行科学报告会》,吉林大学《社会科学学报》1963年第2期)。

6月

发表论文《谈艺术形式》(《美学讲义》第7章《内容和形式》),载吉林大学《社会科学学报》1963年第1期,署名冯文炳。

8月

作《杜甫诗论》,原拟有八个专题,即"生活是诗的源泉""杜诗的各体""杜诗的表现方法""杜诗的语言""杜诗的风格""杜诗怎样学习前人""杜诗对后代的影响"和"杜诗对我们今天的借鉴"。存第一个专题部分手稿。

8月

朱光潜到吉林大学进行为期半个月的讲学。"朱孟实1963

年8月来校讲美学问题,共八讲。"(据废名未刊日记)

10月10日

填写吉林大学人事处制《教职员登记表》,在"国内外主要社会关系"栏称:"本人过去同周作人有师生关系,1937年后周作人投降日寇,本人在思想上没有同他分清敌我,1952年思想改造运动当中开始认识问题,同周作人划清了界限,以后没有往来。"(据吉林大学档案馆藏废名档案)

12月18日至29日

政协吉林省第三届第一次会议召开。废名系主席团成员,当选为政协吉林省第三届委员会常务委员。

本年

为学生所办壁报《蒲公英》作诗一首,无题名(据废名未刊日记)。

本年

当选为吉林省作协副主席。

1964年(甲辰)　64岁

8月28日

湖北省黄梅县民政局致废名信(原件藏黄梅县民政局冯文华烈士档案内)。

9月30日

应湖北省黄梅县民政局请求,作《冯文华烈士传略》(原件藏黄梅县民政局冯文华烈士档案内)。未发表。

同日

致湖北省黄梅县民政局信,署名冯文炳(原件藏黄梅县民政局冯文华烈士档案内)。

1965年(乙巳) 65岁

3月24日

周作人让周丰一寄废名信(周吉宜、周一茗整理:《周作人1965年日记》,《现代中文学刊》2022年第1期。后文仅著录篇名)。

3月28日

寄周作人信(《周作人1965年日记》)。

3月30日

周作人得废名3月28日信(《周作人1965年日记》)。

本年

又检查出胃癌。

1966年(丙午) 66岁

春

将《鲁迅研究》《美学讲义》《毛泽东同志著作的语言是汉语语法的规范》等讲稿交给进驻学校的"工作组"(据废名未刊日记)。

5月

病复发,到北京反帝医院(协和医院)做第三次手术。因癌细胞已扩散,被子女送回长春。

6月

"文化大革命"开始。

7月1日

"找工作组,和张同志谈话。"(据废名未刊日记)

7月4日

到学校开会,贴大字报。大便出血(据废名未刊日记)。

7月10日

"去工作组信,附件四种,信交李同志。"(据废名未刊日记)

1967年(丁未)　67岁

5月6日

周作人在北京去世。

5月12日

吉林大学发"工作人员证",证上注明其住址为长春市镇江路1号,证号"50012号"(原件藏废名后人处)。

9月4日

下午1时多,因患癌症医治无效,在长春逝世,终年67岁。注销户口日期是10月18日。1994年清明节,其骨灰由家人安葬在湖北省黄梅县苦竹乡后山铺,紧邻冯仕贵祠堂。